LE RIRE DE LA MER
de Pierre-Michel Tremblay
est le cent quatre-vingt-neuvième ouvrage
publié chez
LANCTÔT ÉDITEUR
et le huitième de la collection
« Humour ».

D1537195

Prix littéraires du Gouverneur général 2002. En lice pour Théâtre.

autres titres parus dans la collection «Humour»

Onze (Collectif), nouvelles humoristiques et autres
    récits plaisants
Treize (Collectif), nouvelles humoristiques et autres
    récits plaisants
Tout Deschamps, Yvon Deschamps
L'ahurissant vertige de M. Maelström, Claude Paiement
La flotte de la reine, Claude Paiement
Le petit cirque de Barbarie, Claude Paiement
Réveils mutins II, François Parenteau

La collection «Humour»
est dirigée par
Louise Richer,
Pierre-Michel Tremblay
et François Avard pour
l'École nationale de l'humour,
3575, boul. Saint-Laurent, bureau 310
à Montréal (Québec) H2X 2T7

LE RIRE DE LA MER

Amical avertissement

Ami lecteur, nous te vouons un tel respect que nous te livrons sans ambages trois petits secrets.

D'abord, c'est la première fois que nous utilisons l'expression «sans ambages». Voilà certes une expression parmi les plus sélectes de la langue française. Nous osons la classer en septième position des expressions les plus élégantes. En toute franchise, voir ces mots figurant à l'intérieur de l'une de nos publications contribue à rehausser l'estime que nous avons de nous-mêmes; et ce, sans frais médicaux. Ça nous fait un petit quelque chose, une manière de frisson. Merci «sans ambages»!

Par ailleurs, nous sommes plus satisfaits que jamais de publier l'œuvre que tu tiens entre les mains. Pierre-Michel Tremblay est l'un des auteurs les plus créatifs de sa génération. En plus de marier avec naturel humour, humeur et poésie, celui que son public appelle affectueusement Pierre-Michel propose un théâtre tant bitume que bleuet. Ses racines du Lac sont un parfum qui ne dénature jamais l'urbanité du propos. Et l'on rit de toutes les couleurs, bien sûr...

Dernière confession: nous connaissons fort bien monsieur Tremblay. Si nous ne vous proposons pas d'acrostiche en guise de présentation de l'auteur, c'est simplement parce que son nom est long. Nous sommes heureux de permettre à ses pièces de vivre encore, car on y trouve un humour tendre et une sensibilité qui lui sont souvent interdits dans son existence de pigiste. Nous osons même affirmer que nous aimons autant Pierre-Michel que ses pièces *Le jeu du pendu*, *Quelques humains* ainsi que *Le rire de la mer*.

Pierre-Michel est authentique, son œuvre aussi.

L'ÉCOLE NATIONALE DE L'HUMOUR

Pierre-Michel Tremblay

Le rire de la mer

Comédie grave

LANCTÔT
ÉDITEUR

LANCTÔT ÉDITEUR
1660 A, avenue Ducharme
Outremont, Québec
H2V 1G7
Tél.: (514) 270.6303
Téléc.: (514) 273.9608
Adresse électronique: lanctotediteur@videotron.ca
Site Internet: www.lanctotediteur.qc.ca

Photos de la couverture et de l'intérieur: Pierre Desjardins

En couverture: Isabelle Vincent

Maquette de la couverture: Folio infographie

Montage: Édiscript enr.

Quiconque désire reproduire ou utiliser cette pièce, pour quelque usage que ce soit, doit d'abord en obtenir l'autorisation en communiquant avec l'auteur ou son agent. Coordonnées disponibles au CEAD: 3450, rue Saint-Urbain, Montréal (Qc) H2X 2N5; tél.: (514) 288-3384.

Distribution:
Prologue
Tél.: (514) 434.0306 / 1.800.363.2864
Téléc.: (514) 434.2627 / 1.800.361.8088

Distribution en Europe:
Librairie du Québec
30, rue Gay-Lussac
75005 Paris
France
Téléc.: 43.54.39.15

Nous remercions le ministère du Patrimoine canadien et le Conseil des arts du Canada de l'aide accordée à notre programme de publication. Nous remercions également la Sodec, du ministère de la Culture et des Communications du Québec, de son soutien. Lanctôt éditeur bénéficie du Programme de crédit d'impôt pour l'édition de livres du Gouvernement du Québec, géré par la SODEC.

Le rire de la mer
a été créée
le 8 janvier 2001
au théâtre La Licorne
dans une mise en scène
de Marie Charlebois
avec les comédiens :
Isabelle Vincent
Pier Paquet
Christian Bégin
Patrice Coquereau
Marie Charlebois.

Scénographie : Gabriel Tsampalieros
Costumes : Monique Ferland
Musique originale : Stefan Boucher
Maquillages et coiffures : Isabelle Girouard.

Produit par Les Éternels Pigistes.

LES PERSONNAGES

Le chœur...
(N.D.A. : Si la pièce est jouée par un nombre restreint de comédiens par rapport aux personnages, par exemple comme dans notre compagnie «Les Éternels Pigistes» qui compte deux actrices et trois acteurs, on peut installer le code suivant : les membres du chœur incarnent les personnages qui font partie de la pièce.)
Pénélope Bouchard
Pénélope adolescente de quinze ans (joué par la comédienne qui interprète Pénélope)
Alex, Brigitte
Dhiren Raichura, un chauffeur de taxi, le colonel Sanders, la sœur reine
Un employé du Père-Lachaise parisien d'origine arabe, un riche Américain, Molière
Léon, Ronan et Gaël (les Bretons)
Ulysse, Télémaque, Euryclée, Ti-Coq, Pénélope épouse d'Ulysse
Dirdudirel, le tatoueur, Dieu

LE DÉCOR

Peut-être que cette histoire est jouée dans un décor évoquant le quai de Paléas Epidavros en Grèce.
Ou encore...
Une chose semble sûre (mais sait-on jamais) : il faut prévoir un espace scénique permettant d'évoquer plusieurs endroits.

Prologue

La lumière se fait sur Pénélope.

PÉNÉLOPE

C'est le matin sur le bord de la rivière Saguenay. Un matin fret et clair. Dans l'air limpide, on entend distinctement le son des quatre roues. Ça fait comme des grosses grafignes sonores sur le paysage. Mais c'est rien comparé au son que fait un *F-18*. Je passe devant le kiosque de crème molle qui offre un choix de vingt-quatre parfums différents. L'anglicisme de l'affiche le proclame fièrement : « 24 saveurs de crème molle ». Vingt-quatre et toutes dégueulasses, artificielles et cancérigènes. Un peu plus loin, une belle roche. Je m'assois... Je regarde la rivière. Je m'engloutis dans le paysage. Dans ma tête, je m'envole. Dans ma tête, je suis un oiseau qui survole le fjord. Les falaises sont en granit rose et pourpre et mauve et orange. La rivière Saguenay est verte et bleue, translucide comme la Méditerranée, les maisons sont blanchies à la chaux. J'en ai le droit, c'est un fjord qui est dans ma tête. Je vole... Je suis une sorte de Jonathan Livingstone le goéland mais trash. Je monte très haut dans le ciel. Le kiosque de crème molle aux vingt-quatre parfums se fait de plus en plus petit. Les falaises et la rivière deviennent une circonvolution de mon cerveau. Je vole par-dessus les anges, tous ces anges surpeuplant l'esprit des humains qui ont trop soif de croire en n'importe quoi. Je vole rock'n'roll. Je vole loin de cette maudite maladie. Mais je suis un goéland alors faut bien que je bouffe. Je choisis la facilité, je reviens vers le kiosque aux vingt-quatre parfums de crème molle. Je suis chanceuse, un cornet de la veille sur le béton du quai… Et ce matin, il fait tellement froid que la crème s'est glacée. Je goûte… Pas si chanceuse finalement… Parmi les vingt-quatre parfums, je tombe sur le cornet à saveur de mort. Le goût de mort, c'est comme si on avait mélangé les pires arômes ensemble : gâteau au fromage new-yorkais, cerise noire, métastase, baba au rhum, chambre d'hôpital, lait suri, hépatite C, salon funéraire et pina colada. Tu prends juste une 'tite lichée, t'as tout de suite le goût de vomir pour l'éternité. Ce matin, je me suis assise sur une roche. C'est froid pour le cul, mais je sens rien ; j'ai un cancer dans le ventre. Assise sur la roche dans la réalité, je suis trop faible pour crier que je ne veux pas mourir. De toute façon, paraît qu'il faut lâcher prise. OK, mais dans ma tête je hurle. Dans ma tête, je joue à être un goéland trash. C'est mieux. Avant qu'on m'incinère, je voudrais dire une dernière chose : vingt-quatre parfums de crème molle, c'est stupide et c'est ben qu'trop. Au lieu d'en faire beaucoup de sortes, on devrait en faire des bonnes. Et me semble que ça vaut aussi pour toutes les sortes de vies qu'on se fait.

NOIR.

Un très vieux chant grec se fait entendre. Du fond de la scène, Alex, jouant le rôle du coryphée, entre lentement. Il avance en prenant son temps, imprégnant d'une dignité presque officielle sa démarche. Derrière lui entre le chœur mais le rythme plus rapide de son entrée est freiné par la lenteur exaspérante et solennelle d'Alex. Le chœur s'arrête et s'impatiente un peu, on le remarque aux regards désapprobateurs que les personnages qui le composent lancent à Alex.

LE CHŒUR

Grouille!

ALEX

Vous êtes pas supposés être là, c'est le prologue.

LE CHŒUR

Oui mais là on est pus dans l'Antiquité.
Ici c'est moderne, c'est rapide, c'est l'Amérique.
Envoye, déguédine.

Contrarié dans sa démarche empreinte de fatalité, Alex accélère le pas et se présente à l'avant-scène.

ALEX

(Prend un ton plus familier et s'adresse au public.)
Vous l'avez tout de suite reconnu, hein? Je veux dire le

procédé comique qu'on vient d'utiliser. La rupture de ton, l'insertion du grotesque dans un cadre solennel, vous avez tout de suite vu ça. C'est évident. Même que les anthropologues disent que le comique est né d'une dégradation du sacré lors des cérémonies rituelles.

LE CHŒUR

Alex, arrête ça tout de suite...

ALEX

(S'adressant au chœur.) OK?

Il se donne une contenance, avec conviction.

ALEX ET LE CHŒUR

Homère... Dean Martin.

ALEX

Ces deux... *(Il cherche le mot juste.)*

LE CHŒUR

classiques...

ALEX

... classiques sont à jamais liés dans ma mémoire. À cause d'une femme que j'ai aimée...

ALEX ET LE CHŒUR

Pénélope Bouchard, née à Chicoutimi-Nord.

ALEX

Ça fesse quand même plus avec un chœur. C'est Molière qui nous a «matchés». Au cégep, on est tombés en amour dans un cours de théâtre. On montait *Le malade imaginaire*. Elle était Toinette, j'étais Argan. Elle était formidablement drôle, j'étais pourri.

LE CHŒUR

Pourri...

ALEX

Là, ça fesse trop. Elle est devenue sociologue, c'est-
à-dire une chargée de cours sous-payée pour son tra-
vail. Je suis devenu acteur hypocondriaque, mais dans
mon cas c'est presque un pléonasme. En juin 2000, Pénélope est morte.

ALEX ET LE CHŒUR

Cancer...

ALEX

Je sais, c'est pas agréable à entendre... On dit « cancer »,
on entend « douleur, souffrance, mal, mort ». Moi, en
plus, j'entends : « la chienne de maladie qui est partie
avec la femme que j'aimais ».

LE CHŒUR

Faut que tu sois fort.

ALEX

Ça, c'est très chiant à se faire dire. J'ai pas su tout de
suite qu'elle avait un cancer. Elle m'a dit : « J'ai besoin
de réfléchir. »

ALEX ET LE CHŒUR

Quand ton amour dit : « J'ai besoin de réfléchir », c'est
toujours très très inquiétant.

ALEX

Elle m'a dit qu'elle avait besoin de couper les ponts
pour un bout de temps. Elle est partie en voyage. Je
savais que ça ne donnerait rien de vouloir la garder
près de moi. Pénélope adorait voyager. Pendant son
périple, elle a écrit des histoires. J'ai réuni des acteurs.

LE CHŒUR

Bonsoir !

ALEX

Ensemble, on a monté un spectacle avec les histoires que Pénélope a écrites.

LE CHŒUR

Celui que nous allons vous présenter ce soir.

ALEX

Bon, me semble que c'est clair, ça… Alors…

ALEX ET LE CHŒUR

Place aux belles histoires de Pénélope Bouchard, femme voyageuse née à Chicoutimi-Nord.

PREMIÈRE HISTOIRE

Scène 1

LE CHŒUR ET ALEX

Première histoire : *Le costume de la mort.* Notre scène se passe dans un bureau de docteur, avec un docteur, un bureau et Pénélope dans le rôle de Pénélope qui écope. *(Celui ou celle du chœur qui jouera le docteur s'installe pour jouer la scène. Il porte une grande cape noire et une faux. Il personnifie la mort, mais il parle avec le ton triste d'un docteur impuissant.)*

DOCTEUR

Madame Bouchard, ce que j'ai à vous dire est très dur. La tumeur est trop mal placée, les injections pour la faire disparaître ne l'ont pas atteinte. Et comme on ne peut pas opérer… j'ai bien peur qu'il n'y ait plus rien à faire.

PÉNÉLOPE

(Qui reçoit la nouvelle avec stupeur, effarement, sous le choc, triste.) Rien du tout?

DOCTEUR

Je suis désolé.

PÉNÉLOPE

(Elle regarde autour d'elle comme si elle cherchait quelque chose.) Je sais que ma vie est finie, mais je me sens tellement vivante. C'est bizarre.

DOCTEUR

C'est une impression normale dans ce contexte.

PÉNÉLOPE

Ah?

DOCTEUR

Il vous reste encore du temps à vivre. Essayez donc de profiter des choses que vous aimez.

PÉNÉLOPE

Des choses que j'aime... Oui, oui...

> *On entend la chanson* Cha cha cha d'amour. *Pénélope écoute avec attention puis sourit. Elle regarde le docteur et soudain se met à pouffer de rire.*

DOCTEUR

Madame Bouchard, je ne crois pas avoir dit quelque chose de joyeux.

PÉNÉLOPE

Est-ce que vous connaissez Dean Martin?

DOCTEUR

Celui qui faisait des films avec Jerry Lewis?

PÉNÉLOPE

Oui... *(Pénélope pouffe de rire et se retient.)*

DOCTEUR

(Compatissant mais tout de même un peu moralisateur.)
Il est certain qu'apprendre que ses jours sont comptés peut créer des réactions imprévisibles, mais il faut que je m'assure que vous n'occultez pas cette… information. Est-ce que vous comprenez bien ce que je viens de dire?… Madame Bouchard… vous allez mourir!

PÉNÉLOPE

(Qui n'a pas écouté.) Je vais partir en voyage…

> *Elle pouffe de rire.*

PÉNÉLOPE

C'est de fort mauvais goût de porter le costume officiel de la mort.

DOCTEUR

(Surpris.) Qu'est-ce que vous voulez dire par «porter le costume officiel de la mort»?

> *Pénélope montre du doigt la faux du docteur.*

PÉNÉLOPE

Vous avez une faux.

> *Le docteur regarde et il réalise qu'il tient une faux dans sa main. Il fait un méchant gros saut.*

DOCTEUR

Ah! mais qu'est-ce que je fais avec une faux dans la main? J'ai une faux dans la main!

PÉNÉLOPE

(L'approuvant.) Et vous portez une grande cape noire.

DOCTEUR

(Il touche le capuchon de sa cape.) J'ai une grande cape noire. J'ai une cape et une faux!

PÉNÉLOPE

Et vous venez de m'annoncer que je vais mourir.

DOCTEUR

(Effrayé.) Je suis la mort!

PÉNÉLOPE

Vous êtes la mort.

DOCTEUR

Nooooooon…

PÉNÉLOPE

(Dans un esprit de vengeance évident.) Docteur, ce que j'ai à vous dire est très dur. Le costume est trop collé à vous, même des injections pour le faire disparaître ne l'atteindraient pas. Et comme on ne peut pas opérer… j'ai bien peur qu'il n'y ait plus rien à faire. *(Pénélope s'en va, laissant le docteur désespéré.)*

PÉNÉLOPE

(En sortant.) La fatalité, c'est intolérable.

DEUXIÈME HISTOIRE

Scène 2

LE CHŒUR

Deuxième histoire : *Amour et cauchemar.*

ALEX

Non, non, non. C'est pas ça le titre...

LE CHŒUR

On s'est dit qu'un titre comme *Amour et cauchemar* serait plus efficace.

ALEX

Non ! Le titre c'est : *Une belle histoire d'amour et un cauchemar* et c'est ce qu'on va annoncer, comme j'avais décidé.

LE CHŒUR

OK, OK... C't'une création, on cherche.

ALEX

Là, vous cherchez surtout à me tomber sur les nerfs. Bon, on y va...

LE CHŒUR ET ALEX

Deuxième histoire. *Une belle histoire d'amour et un cauchemar.* À Londres au Natural History Museum, la salle 101, «Notre place dans l'évolution», exhibe des crânes humains et leur dentition.

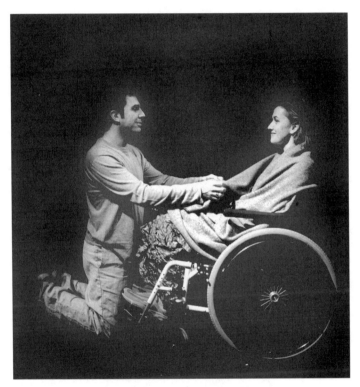

Christian Bégin et Isabelle Vincent.

Scène 3

*Pénélope regarde les crânes avec fascination.
Près d'elle, arrive un homme plein de charme
et de flegme, qui observe aussi les crânes. C'est
Dhiren Raichura, un Londonien d'origine
pakistanaise.*

*(Les comédiens du chœur peuvent faire diffé-
rents visiteurs passant dans le musée.)*

*Pénélope et Dhiren se regardent et échangent
un sourire poli, puis chacun retourne à l'ob-
servation des crânes. On voit que cet homme
plaît à Pénélope. De nouveau, échange de regards et sourires polis.*

PÉNÉLOPE

(Formidablement ironique.) To be or...

DHIREN

(Narquois.) To be do be do.

PÉNÉLOPE

The great genius Frank Sinatra, but I prefer Dean Martin.

DHIREN

Dean Martin... So cool, so casual... The world's most
perfect crooner. *(Très poliment.)* But, I detect you have

an accent… *(Avec un français impeccable mais dans lequel on reconnaît des inflexions britanniques.)* Vous êtes française?

PÉNÉLOPE

Québécoise…

DHIREN

Oh yes… I'm terribly sorry. Excusez-moi. Je viens de me rappeler, pour devenir indépendants vous faites des référendums, sans jamais devenir indépendants.

PÉNÉLOPE

(Contrariée.) C'est ça…

> *Échange de sourires, mais cette fois Dhiren et Pénélope se regardent un peu plus attentivement dans les yeux.*

DHIREN

Je m'appelle Dhiren Raichura, londonien d'origine pakistanaise grâce à mon père et franco-suédoise grâce à ma mère, ce qui explique mon teint foncé, mes yeux bleus et mes cheveux blonds.

PÉNÉLOPE

Pénélope Bouchard, platement pure laine de par mon père qui est un Bouchard et de par ma mère qui est une Tremblay. Chez nous, comme absence d'exotisme, c'est difficile de faire mieux. Mais j'ai tout de même un peu de sang amérindien du côté de mon père. Bof, en même temps, tous les Québécois ont du sang amérindien dans les veines. Je suis vraiment non exotique.

DHIREN

Mais vous êtes une voyageuse, Pénélope, ça c'est très exotique. Comment aimez-vous notre Natural History Museum?

PÉNÉLOPE

Très franchement, je suis déçue. Ça me fait penser à un gigantesque entrepôt d'animaux empaillés.

Dhiren éclate de rire, mais se retient rapidement.

PÉNÉLOPE

Faire des trophées de notre facilité à tuer, ça m'effraie. En plus, il y a une exposition sur les écosystèmes qui est commanditée par British Petroleum. Ça, c'est carrément indécent. Ah! là, vous avez regardé mes seins.

DHIREN

(Confus.) Désolé, j'avais cru être discret.

PÉNÉLOPE

Non, ça va. Tout à l'heure vous avez regardé ma taille, mes fesses, ma bouche, mes yeux. Tous les hommes croient faire ça discrètement... Ben voyons donc! Maintenant, c'est au tour des seins. Ça m'énerve un peu plus parce que j'ai le complexe des petits seins et là je sens ce maudit complexe qui me remonte jusqu'au soutien-gorge.

DHIREN

Puisque vous êtes si directe, je vais vous le dire franchement: j'adore la dimension de vos seins.

Timidement, Pénélope baisse la tête et fixe le plancher. Puis, elle relève la tête et regarde Dhiren.

PÉNÉLOPE

Ce que je préfère dans ce musée, c'est la mosaïque en céramique du plancher.

Dhiren sourit.

DHIREN

Pour demeurer dans la franchise, j'ai une autre chose à vous révéler : je suis un des conservateurs du musée.

PÉNÉLOPE

Oh ! je m'excuse... Vraiment je...

DHIREN

Je vous le pardonne... Mais êtes-vous venue en Angleterre principalement pour détester notre Natural History Museum ?

PÉNÉLOPE

Non ! Mon histoire préférée a été écrite par un Anglais. C'est *Alice au pays des merveilles*. Quand j'étais petite, j'aurais aimé être Alice. Mais surtout, pour être franche moi aussi, j'ai un cancer incurable, alors je n'ai plus de temps à perdre.

DHIREN

(Bouleversé.) Oooh... je... Vous voyez, même mon légendaire flegme britannique s'écroule.

PÉNÉLOPE

Est-ce que le conservateur du Natural History Museum passe toutes ses journées dans les salles d'expositions ?... Si oui, vous êtes une espèce rare.

DHIREN

Je ne passe pas toutes mes journées ici, mais parfois oui... *(Moqueur.)* Un peu comme les rois qui, anonymement, se mêlaient à leurs sujets pour voir comment allait le royaume.

PÉNÉLOPE

C'est une habitude que nos dirigeants ont bel et bien perdue. Maintenant, ils envoient la police. J'en ai vu beaucoup en marchant jusqu'ici.

DHIREN

Aujourd'hui c'est exceptionnel... Pour célébrer le 1er Mai, si je puis dire, certains groupes organisent des manifestations contre le capitalisme.

Pénélope et Dhiren se regardent intensément.

PÉNÉLOPE

(Provocante.) Le top du top du non-romantisme, ce serait que vous m'invitiez à prendre le thé chez vous. Et que j'accepte.

DHIREN

Certainement, mais nous ne serions pas tranquille chez moi.

PÉNÉLOPE

Votre femme est à la maison?

DHIREN

Je suis divorcé, mais en ce moment je partage mon petit logement avec deux journalistes iraniens, trois Chiites en fuite du Panjab et une opposante au régime birman qui dort dans mon lit, je l'avoue, le manque de place ayant créé notre relation d'intimité.

PÉNÉLOPE

(En plaisantant mais avec une pointe de curiosité inquiète.) Vous êtes terroriste?

DHIREN

(Tout sourire, fier.) Je travaille pour Amnistie Internationale.

> *Le désir entre elle et Dhiren est maintenant très puissant.*

PÉNÉLOPE

Moi, j'ai une minuscule chambre d'hôtel avec un tout petit lit et je ne crois pas avoir de thé.

DHIREN

Voulons-nous vraiment prendre le thé?

> *Pénélope fait signe que non.*

DHIREN

On y va en marchant ou en taxi?

PÉNÉLOPE

(Dans l'urgence.) Oh! en taxi, en taxi.

DHIREN

TAXI!

Scène 4

Dans le taxi, au moment de régler la course,
Dhiren remet l'argent au chauffeur.

LE CHAUFFEUR

I'm sorry... It's taken so much time... It's because of the demonstration... Terribly sorry!

PÉNÉLOPE

No, no, it's OK.

DHIREN

It's all right.

LE CHAUFFEUR

Did you hear? The smash at the McDonald's.

DHIREN

Yes, I heard that on your radio.

LE CHAUFFEUR

I don't like McDonald's.

> *Sourires complices entre Dhiren, Pénélope et*
> *le chauffeur.*

LE CHAUFFEUR
I prefer Kentucky Fried Chicken.

Dhiren et Pénélope se regardent avec un air mi-amusé mi-découragé et sortent du taxi.

Scène 5

Dans la chambre d'hôtel de Pénélope. Après l'amour. Dhiren est debout et achève de boutonner sa chemise. Pénélope le regarde.

PÉNÉLOPE

Nous avons fait l'amour. Quel cadeau extraordinaire! Pas trop gras. Musclé, mais pas artificiellement. Élégant comme un chat, fort comme un tigre. Tu as le corps aussi raffiné que l'esprit.

DHIREN

Tu exagères, j'ai quelques livres que j'aimerais voir disparaître, autant sur mon corps que certaines autres qui alourdissent mon esprit. Maintenant, je t'invite à la maison. Nous allons dîner. Ce soir, ce sont les Iraniens qui préparent le repas.

Des larmes viennent aux yeux de Pénélope.

PÉNÉLOPE

Non merci, c'est gentil...

Dhiren s'approche de Pénélope, s'assoit près d'elle et lui prend la main. Il croit comprendre le chagrin de Pénélope.

DHIREN

Pourquoi ?

PÉNÉLOPE

Je pourrais tomber complètement en amour avec toi et je ne veux pas, parce que tu sais quoi, c'est tout...

DHIREN

Tu peux peut-être guérir...

PÉNÉLOPE

Toi, tu crois que tu peux changer le monde, t'es un idéaliste qui travaille pour Amnistie Internationale.

DHIREN

Mais en travaillant pour cette organisation, je change le monde.

PÉNÉLOPE

Non, t'envoies des lettres à des dictateurs... Les dictateurs changent, t'envoies encore des lettres.

DHIREN

(Qui s'enflamme.) Oui, et avec nos lettres nous avons sauvé des vies. Sauver une vie, c'est changer le monde.

PÉNÉLOPE

(Ironique.) Moi, ma vie, elle est pas sauvable alors je sauve ce qui reste de ma vie. Je suis comme ma petite amnistie internationale personnelle. Et je m'écris à moi-même pour me libérer.

DHIREN

Ce soir, sauve-toi avec moi.

PÉNÉLOPE

Dhiren, y aura pas de prochaine fois.

DHIREN

Bien… Je suis persuadé qu'une tumeur, ça ressemble à un gros morceau de Kentucky Fried Chicken.

Dhiren envoie un baiser à Pénélope et quitte la chambre. Pénélope soupire, sèche les larmes qui lui restaient puis s'engouffre sous les couvertures et s'endort.

Scène 6

Dans le cauchemar de Pénélope. Brigitte, la sœur de Pénélope, entre sur scène en tenant deux mailloches de croquet dans les mains.

BRIGITTE

(Appelant.) Alice… Alice…

Au son de cet appel, Pénélope apparaît. Elle se demande où elle est.

Ha, Alice! *(Lui tendant une mailloche de croquet.)* Tiens.

PÉNÉLOPE

Je ne suis pas Alice, je suis ta sœur : Pénélope.

BRIGITTE

Pénélope, Alice, Alice, Pénélope, Pénélope, Alice, Alice, Pénélope, c'est presque la même chose. Tiens Alice, voici ta mailloche, prends-la s'il te plaît.

Pénélope prend la mailloche. Elle ne sait pas trop ce qu'elle doit faire avec.

BRIGITTE

Bien Alice. *(Pointant son environnement.)* Tu ne remarques rien?

PÉNÉLOPE

Heu… J'ai une mailloche de croquet dans la main?

BRIGITTE

Non, Alice. Richard et moi avons fait de nouveaux amé-
nagements paysagers dans la cour. Regarde ce petit
bassin japonais et ces pierres savamment installées tel
que recommandé par l'émission *Mon jardin, ma cour
et moi.* On fait aussi des rénovations dans la salle de
bains… J'ai longtemps hésité entre peinturer avec la
couleur orange «coucher de soleil romain» et le bleu
«bord de lac en été à l'aube». Mais finalement j'ai choisi
un somptueux blanc: «soupir de bébé» qui sera plus
soutenu. Ça va rafraîchir.

> *Face à cette réplique vide, Pénélope est parta-
> gée entre l'horreur et l'incrédulité.*

PÉNÉLOPE

Rafraîchir…

BRIGITTE

Bon, Alice, maintenant nous allons faire une partie de
croquet. J'adore le croquet, c'est tellement reposant et
élégant. Allez, tu commences.

PÉNÉLOPE

Je… Je ne vois pas la boule.

BRIGITTE

Une boule, es-tu folle? Ça abîmerait toute ma belle pe-
louse. Non, c'est un jeu de croquet qui se joue avec
une non-boule.

PÉNÉLOPE

Une non-boule ?

BRIGITTE

Oui, c'est nouveau. Je vais te montrer, c'est à la fois simple mais difficile. Tu visualises ta non-boule et...

Elle se met en position.

BRIGITTE

(Frappant sa non-boule.) Toc. *(Elle suit le trajet de sa non-boule des yeux.)* Ha, j'ai réussi. *(Elle se déplace vers sa non-boule. Frappant à nouveau.)* Toc ! Tu vois, c'est simple, il suffit de dire toc en frappant sur la non-boule. Allez Alice, à toi.

PÉNÉLOPE

Je ne veux plus avoir ce rêve.

BRIGITTE

(Perdant sa prestance.) Joue. *(Se reprenant.)* S'il te plaît...

PÉNÉLOPE

D'accord, d'accord.

BRIGITTE

Voilà qui est mieux.

PÉNÉLOPE

(Frappant sa non-boule, sans grande conviction.) Toc...

BRIGITTE

Ha, ta non-boule n'a pas franchi la première arche. Ton toc était trop petit. Laisse-moi t'expliquer. Ton toc de départ doit être un toc de choc. TOC, pas toc.

TOC. Ensuite des petits tocs, à peine un poc : toc. Et non TOC. Il y a des gros tocs et des petits tocs. Sinon c'est la confusion dans les tocs et on ne s'y retrouve plus.

PÉNÉLOPE

(Excédée, frappant dans tout les sens avec sa mailloche.) Toc, TOC, toc, TOC, toc, TOC. Toc.

BRIGITTE

Bon, bon, bon, elle se moque encore. Tu ne veux jamais respecter les règles.

PÉNÉLOPE

Et toi tu veux toujours que tout soit parfait.

BRIGITTE

Il faut tendre vers la perfection. Et le monde nous offre cette possibilité. Mais il y a un toujours un punk, un professeur de philosophie, un fumeur d'herbe, une manifestante anti-mondialisation ou un médecin qui tue des fœtus innocents pour venir chialer. Oh. je n'ai rien contre eux. Tout le monde a le droit de s'exprimer et ça, ce sont aussi des personnes. Mais parfois je pense qu'on devrait tous leur trancher la tête. *(Se remettant au jeu, frappant sa non-boule.)* Toc.

PÉNÉLOPE

Tu sais ce qui me fait le plus peur : c'est qu'on a été élevées dans la même famille. Je comprends pas.

BRIGITTE

Alice, Alice, Alice, Alice, Alice, Alice, ma pauvre Alice. Certains destins sont différents. Mais tu sais, nous sommes tous avec toi. J'ai même demandé à mon ange de lumière Dirdudirel qu'il t'aide à mieux vivre ton… Ta…

Ton épreuve. Il va sûrement te visiter. *(Frappant sa non-boule.)* Toc.

PÉNÉLOPE

Je t'avertis, si je le vois, je lui casse sa gueule d'ange.

BRIGITTE

Tu vois, tu résistes encore. Laisse-nous t'aider… Sinon, on te tranche la tête. *(Frappant.)* Toc.

PÉNÉLOPE

Pourquoi toi et moi ça ne fonctionne pas? Pourquoi on n'a pas ça, nous, la sororité? Comme la fraternité mais pour les filles. On pourrait être sororitaires….

BRIGITTE

Sororité est un mot très laid. *(Frappant sa non-boule.)* Toc.

PÉNÉLOPE

Maintenant je vais mourir et je t'aurai vue devenir une étrangère sans que je puisse rien y faire. *(Elle crie.)*

BRIGITTE

Alice, cesse de crier! Les voisins…

PÉNÉLOPE

Hey, c'est mon cauchemar. Je peux-tu, s'il vous plaît, crier dans mon cauchemar sans que tu passes des remarques?

BRIGITTE

Pauvre Alice, qu'est-ce qu'on va faire de toi? *(Frappant sa non-boule.)* Toc.

> *Brigitte s'éloigne en frappant sa non-boule et en émettant des «tocs» de différentes intensités.*

PÉNÉLOPE

Je ne suis pas Alice, je suis Pénélope, ta sœur. Ta sœur...

> *Pénélope crie. On entend un dernier « toc » de sa sœur.*

Isabelle Vincent et Pier Paquet.

TROISIÈME HISTOIRE

Scène 7

LE CHŒUR ET ALEX
Troisième histoire… *(Regard.)*

LE CHŒUR
On est-tu toujours obligés d'annoncer le numéro des histoires?

ALEX
C'est une sorte de rituel annonciateur… On enchaîne…

LE CHŒUR ET ALEX
Troisième histoire. Pénélope poursuit son périple à Paris. Tôt dans la matinée, elle est au cimetière du Père-Lachaise et le titre de cette histoire est celui-ci: *Molière, ma sœur et moi, histoire primesautière.*

ALEX
Qu'ossé?… Primesautière?

LE CHŒUR
Pour la rime… *Molière, ma sœur et moi, histoire primesautière.*

Scène 8

Le cimetière du Père-Lachaise. Pénélope est
complètement perdue... Elle essaie de savoir
où elle est. On aperçoit un homme en uni-
forme bleu qui, visiblement, travaille au ci-
metière. C'est un Parisien d'origine arabe.

PÉNÉLOPE

Excusez-moi, vous travaillez ici?

L'EMPLOYÉ

Pourquoi? J'ai l'air d'y habiter?

PÉNÉLOPE

Non, non. En fait, je sais pas...

L'EMPLOYÉ

(Souriant.) Vous venez des cousins, hein? Ça s'entend
à l'accent. Ça, y a pas à dire, tout un accent, les cousins.

PÉNÉLOPE

Oui, les cousins, c'est en plein moi ça les cousins... Je
cherche la tombe de Molière.

L'EMPLOYÉ

Mais, oh, elle a pas de plan, la p'tite cousine... Eh! on
ne vient pas au cimetière du Père-Lachaise sans demander un plan à l'entrée, putain! C'est grand ici...

Pénélope

(Faisant un geste de confusion avec sa main.) Et c'est
fait avec la logique française de l'urbanisme.

L'employé

Vous avez tout compris, la cousine. Bon... pour m'sieur
Molière... Alors ici vous êtes sur «L'Avenue des Combat-
tants étrangers morts pour la France». C'est pour ça que
c'est une grosse avenue, hé, hé, hé... Mais vous y êtes pas
du tout pour m'sieur Molière, hein. Alors, pour m'sieur
Molière, vous marchez sur l'avenue transversale numéro
2, jusqu'à ce que vous vous retrouviez sur l'avenue Gref-
fhule, entre les divisions 92, 95, 42 et 41. L'avenue Gref-
fhule est parallèle à l'avenue transversale numéro 2 et là,
vous descendez jusqu'au chemin des Anglais, mais vous
n'y êtes pas encore pour m'sieur Molière. Putain, vous
voyez ça, aurait pas fallu qu'ils foutent m'sieur Molière
dans le chemin des Anglais. Alors, vous passez le chemin
des Anglais. De toute façon y a rien à y voir, hé, hé, hé...
Et là vous vous retrouvez sur l'avenue transversale numéro 1 dans la division 25 et là y a un tout petit sentier
qui porte pas de nom ou j'ai oublié et vous vous retrouvez dans la division 26, sur le chemin Molière et La Fontaine, et putain! c'est le miracle de la logique française
parce que les tombes de Molière et La Fontaine sont sur
ce chemin-là! C'est clair? Vous voulez que je répète?

Pénélope

C'est parfait comme ça, merci beaucoup.

L'employé

Allez, dites bonjour aux cousins.

> *L'employé s'éloigne. Pénélope se retrouve*
> *seule, regarde autour d'elle et soupire. Un*
> *Américain — on voit qu'il est très riche —*
> *s'approche de Pénélope.*

L'AMÉRICAIN

Excuse me, I'm looking for Jim Morrison… You know it's really important for me because I'm working in business music for Time Warner and I must see Jim Morrison you know because it's a god and an inspiration for me. You know the album *Best of the Doors* is a really big seller for our company Time Warner and…

PÉNÉLOPE

(L'interrompant.) I don't know.

L'AMÉRICAIN

Thank you… Have a nice day.

> *L'Américain s'éloigne… On entend la chanson* When the Music's Over. *Pénélope écoute avec surprise et attention. Molière (petit, nerveux, inquiet, égocentrique, louisdefunesien) apparaît à Pénélope.*

MOLIÈRE

Si vous le voulez, je vous mène au lieu où sont inhumés mes pauvres restes.

PÉNÉLOPE

Avec plaisir, monsieur Molière.

> *Instantanément, Molière et Pénélope se retrouvent devant la tombe de celui-ci. Celle de La Fontaine est juste à côté. Au pied de la tombe de Molière, quelques offrandes : des fleurs, une lettre, etc.*

MOLIÈRE

Eh bien, voilà la chose. Ce n'est qu'une tombe dans un cimetière.

Le plus drôle, c'est qu'il ne s'agit même pas de mes restes. Mais vous voir est un plaisir. De vous à moi, cet endroit manque cruellement de jolies femmes. Tant d'hommes ! C'en est dégoûtant. Et presque tous célèbres ! Vous imaginez bien qu'avec autant d'hommes célèbres dans si peu d'espace le lieu pourrit beaucoup plus rapidement qu'ailleurs. Tiens... C'est un bon mot que celui-là. Je n'ai pas perdu la langue... Oh, mais c'est que je suis plein d'esprit, moi ! D'ailleurs, je ne suis plus que ça. Je suis en forme... même décomposé. Et toc !

PÉNÉLOPE

Ouais, une attend pas l'autre.

MOLIÈRE

(Charmé.) « Une n'attend pas l'autre. » J'adore cette formule. Alors, pour venir me voir, vous êtes sans doute comédienne.

PÉNÉLOPE

Non, sociologue...

MOLIÈRE

Eh bien... J'ignore totalement de quoi il s'agit.

PÉNÉLOPE

Moi aussi ! J'ai joué la comédie deux fois dans ma vie. Je veux dire sur une scène... La première fois, j'avais sept ans et c'était pour une crèche de Noël vivante. Je faisais l'âne... La seconde fois est beaucoup plus importante. Lors de mes études au collège, j'ai joué Toinette dans votre *Malade imaginaire*.

MOLIÈRE

(Très inquiet.) Et les gens ont ri ?

PÉNÉLOPE

Oui... surtout ma mère, qui riait plus fort que tout le monde chaque fois que j'ouvrais la bouche.

MOLIÈRE

C'est excellent. Une bonne rieuse dans une salle entraînera le rire de tout le public, c'est connu. *(Inquiet.)* Alors, les gens ont vraiment ri?

PÉNÉLOPE

Oui... sauf ma sœur, mais dans son cas c'est normal.

MOLIÈRE

(Inquiet.) Ah? Votre sœur n'a point ri?

PÉNÉLOPE

(Voulant faire un compliment.) Vous savez, maintenant, dans tous les collèges du monde on joue du Molière.

MOLIÈRE

(Très très inquiet.) Ah oui? Et est-ce que partout les gens rient?

PÉNÉLOPE

Euh, très franchement, je ne crois pas qu'on puisse affirmer ça.

MOLIÈRE

(Horrifié.) Vous voulez dire qu'ils ne savent pas tous jouer la comédie?

PÉNÉLOPE

(Mal à l'aise, consciente de s'être mis les pieds dans les plats.) Certainement pas tous. *(Petit sourire contrit.)*

MOLIÈRE

(Qui tape une crise d'auteur aux accents comiques à la Louis de Funès.) Mais c'est une catastrophe... UNE CA-TASTROPHE! Il faut écrire des rôles qui vont être à la satisfaction des acteurs, il faut plaire au roi, toujours plaire au roi... *(Il fait des courbettes.)* Monsieur le roi est content; oui, monsieur le roi; bien, monsieur le roi... *(Poursuivant sa colère.)* Je sue sang et eau à faire jaillir le rire et ils vont me massacrer tout ça? Mais où se pense-t-on? Est-ce le carnaval des incompétents? Le bal des imbéciles? La mascarade des idiots? Jim, s'il te plaît, arrête avec cette satanée musique. JE fais une crise.

> *La chanson des Doors* When the Music's Overs *cesse de jouer. Pénélope retient une envie de rire mais ne peut s'empêcher d'éclater. Molière arrête sec et savoure le rire de Pénélope.*

MOLIÈRE

(Inquiet.) Alors, j'étais bien?

PÉNÉLOPE

Très drôle...

MOLIÈRE

Je n'en ai pas trop fait?

PÉNÉLOPE

Non, pas trop...

MOLIÈRE

(Inquiet.) J'aurais pu en faire plus?

PÉNÉLOPE

Non, non, c'est assez.

MOLIÈRE

(Fier comme un coq, il bombe le torse et roule des épau-les.) Une n'attend pas l'autre. Même trépassé, je suis un sacré bouffon. Je suis un bouffon du trou… *(S'expli-quant.)* Fond du trou, mis en terre. Non, elle est mauvaise, celle-là.

Pénélope l'approuve d'un geste de la tête.

PÉNÉLOPE

Le Malade imaginaire a compté beaucoup dans ma vie. J'y ai rencontré mon amoureux.

MOLIÈRE

(Il s'enflamme à l'évocation de ce souvenir.) Quand je l'ai écrite, je me savais mourant, mais j'ai été formidable. Je voulais faire rire plus que jamais. À la quatrième représentation, au troisième juro de la cérémonie finale, j'ai eu cette convulsion que j'ai transformée en effet comique. Vous auriez dû voir les honnêtes gens qui riaient et qui riaient. Ah ça, c'était une belle grimace, une forte, avec les yeux qui roulent et le visage tordu. Une de mes plus drôles assurément puisqu'elle puisait dans une douleur réelle. Quelques instants plus tard, j'ai vomi un flot de sang, mais ça, franchement, je n'ai point trouvé comment en faire un effet comique. Et ça m'a toujours tracassé… *(Découragé.)* Il devait bien y avoir un truc ou une réplique que j'aurais pu improviser. Je n'ai pas trouvé, je n'ai pas trouvé… J'ai manqué de vivacité… Mais si j'avais trouvé, je suis certain que cet effet comique aurait été nettement supérieur à tout ce que j'avais fait jusque-là. Vous imaginez, le personnage vomit un flot de sang et il dit LE bon mot qui fait hurler de rire toute une salle. Mais je n'ai pas trouvé… Je n'ai pas trouvé.

PÉNÉLOPE

Ce n'est pas si grave. Je suis sûre que les gens ont compris.

MOLIÈRE

(Inquiet.) Vous croyez ?

PÉNÉLOPE

Quand même, vous aviez une bonne raison : quelques heures plus tard, vous êtes mort.

MOLIÈRE

(Appréciant la réplique en connaisseur.) Eh ! mais c'est une bonne réplique que celle-là ! *(Claquant des doigts.)* Pourquoi n'y ai-je pas pensé ? Je vois la scène... J'ai vomi le sang. Lagrange hurle : « Rideau ! » Les spectateurs crient. En coulisse, Lagrange, Baron et les autres viennent près de moi. Je tremble de froid. On m'enveloppe dans une robe de chambre et là je regarde ma troupe en m'excusant : « Je n'ai pas su trouver un jeu comique avec le flot de sang que j'ai vomi... » J'attends, une légère pause pour laisser le temps à mes gens de dire : « Mais non, ce n'est pas grave, ça ne fait rien, qu'importe. » Et j'enchaîne avec : « Mais j'ai une bonne raison, je vais mourir ! » *(Il claque des doigts.)* Quelle belle finale ! Au lieu de cela, j'ai dit : « J'ai un froid qui me tue. » Phrase banale de vieillard sans imagination. « J'ai un froid qui me tue. » Pffffft !

PÉNÉLOPE

Je trouve que vous êtes dur avec vous-même. Quand on meurt, ça arrive assez souvent qu'on ne sache pas quoi dire.

MOLIÈRE

Je vous l'accorde, ma douce amie, car, hélas, mourir prend tout notre temps. *(Content de lui.)* Que voilà une belle répartie... *(Inquiet.)* Mais pour en revenir à votre sœur, pourquoi n'a-t-elle point ri ?

La sœur de Pénélope apparaît.

BRIGITTE

Point ri, point ri... Faut pas exagérer, j'ai ri.

PÉNÉLOPE

Je t'ai pas entendue et, d'habitude, quand tu ris, ça s'entend.

BRIGITTE

Tu l'as pas entendu parce que tu voulais pas l'entendre.

PÉNÉLOPE

Si tu as ri, pourquoi tu as dit : « C'est sûr qu'avec des acteurs professionnels ça aurait été plus drôle » ?

BRIGITTE

Mon Dieu, c'était juste une petite critique...

MOLIÈRE

S'il vous plaît ! Une seule chose m'importe : elle a ri ou elle n'a point ri ?

> *Les deux répliques suivantes sont dites en même temps.*

PÉNÉLOPE

Elle n'a point ri.

BRIGITTE

J'ai ri.

MOLIÈRE

Bon, je vois qu'aucune entente ne semble possible. Je vais donc considérer qu'elle a ri puisque c'est l'hypothèse qui me réjouit le plus.

PÉNÉLOPE

Même si elle est fausse ?

MOLIÈRE

En croyant votre sœur, elle sera vraie.

PÉNÉLOPE

Je suis déçue, monsieur Molière.

MOLIÈRE

Ma pauvre enfant, la plupart des comédiens, bouffons et auteurs de farces sont comme des courtisanes. Ils sont prêts à tout pour un rire. Désolé de vous décevoir...

BRIGITTE

Faites-vous-en pas avec ça, monsieur Molière, ma sœur a toujours été intransigeante. Et on dirait que c'est pire depuis qu'elle sait qu'elle a un *(Approche de Molière et dit tout bas.)* cancer...

MOLIÈRE

(Qui ne comprend pas.) Quoi?

PÉNÉLOPE

Brigitte!

BRIGITTE

(Tout bas.) Cancer...

MOLIÈRE

(Qui ne comprend pas.) Je ne sais pas de quoi vous parlez.

BRIGITTE

C'est vrai, vous savez pas c'est quoi le cancer... Euh, comment je vous dirais bien ça...

PÉNÉLOPE

Un chancre... Un gros chancre à l'intérieur. La mort qui gruge par en dedans.

MOLIÈRE

(Dégoûté.) Assez! C'est dégoûtant.

BRIGITTE

En tout cas, voir sa sœur prise d'un cancer c'est vraiment pas de tout repos...

MOLIÈRE

(Qui ne veut pas entendre parler de ça.) Cessez, je vous prie. Je déteste entendre parler de maladie.

BRIGITTE

C'est une épreuve, la maladie.

MOLIÈRE

Bon, il se fait tard...

BRIGITTE

C'est comme l'arthrite de ma tante Pauline...

MOLIÈRE

(Pour lui-même.) Mais c'est qu'elle ne bouge pas, la coquine.

BRIGITTE

Des fois, elle a des crises qui la bloquent complètement.

MOLIÈRE

Vous devez partir maintenant...

BRIGITTE

Pis je vous parle pas du reflux gastrique de mon mari.

MOLIÈRE

Non, n'en parlez pas.

BRIGITTE

L'estomac lui brûle comme un feu de foyer.

MOLIÈRE

(Excédé.) Cessez de parler de tous les maux dont les hommes sont affligés.

BRIGITTE

Les maladies font partie de nos vies, faut pas avoir peur d'en parler.

MOLIÈRE

Je n'ai pas peur : je n'aime pas ça.

BRIGITTE

Moi, j'ai vaincu cette peur grâce à mon ange de lumière, Dirdudirel.

MOLIÈRE

Grand bien vous fasse.

BRIGITTE

Je fais encore de l'urticaire, par exemple.

MOLIÈRE

(À bout de nerfs.) Mais elle s'entête.

BRIGITTE

Le cancer, c'est bizarre…

MOLIÈRE

Pitié !

BRIGITTE

Tu perds du poids, tu es fatigué, mais t'as pas de grosse attaque là...

MOLIÈRE

Plutôt mourir que d'entendre ces horreurs.

BRIGITTE

Vers la fin, paraît qu'ils sont pas beaux à voir, maigres, maigres, maigres...

MOLIÈRE

Hé, mais, je suis mort. *(Fier de lui.)* Hé, hé, bonne réplique pour notre sortie.

Molière et Pénélope sortent.

BRIGITTE

Bon, il est parti. Bof ! je vais aller voir Alphonse Daudet. Lui, y paraît qu'il est mort de la syphilis...

QUATRIÈME HISTOIRE

Scène 9

LE CHŒUR

Quatrième histoire… Alex, on l'sent pas…

ALEX

Vous ne sentez pas quoi?

LE CHŒUR

Annoncer les histoires, on le sent pas… C'est quoi le sens de ce qu'on fait?

ALEX

Le sens, c'est que… C'est le sens du non-sens. C'est de l'absurde, mais il n'est pas gratuit parce que… Parce que le public a payé ses billets.

LE CHŒUR

Est-ce qu'on met réellement en question le sens de nos souffrances?

ALEX

Eille, on joue!

LE CHŒUR ET ALEX

Quatrième histoire : *Une soirée bretonne.* En côte d'Armor, Pénélope nous raconte un «5 à 7» breton, ils ont des chapeaux ronds.

Scène 10

Au bistro... Ronan (plutôt cool, voix jouant dans les aigus, vindicatif mais ultrasociable) est attablé devant un pot. Léon (la soixantaine, bourru au grand cœur, voix basse, on dirait Philippe Noiret parlant très très vite) et Pénélope entrent.

LÉON

Hé! Ronan...

RONAN

Oh! Léon...

LÉON

Regarde de quoi j'ai hérité. Ma nièce Karine m'a confié la garde de cette jolie Québécoise. Alors j'ai dit: ma chère dame, y a pas le choix, on est en Bretagne, on fait comme les Bretons, on va prendre un pot.

Pénélope et Léon s'installent avec Ronan.

RONAN

Hé! on prend un pot. Qu'est-ce qu'on peut faire d'autre avec ce putain de temps? Ouais, même quand il fait beau, on prend un pot. Quand c'est dégueulasse on prend aussi un pot... à l'intérieur.

LÉON

Tu es poli avec la dame, hein! Elle s'appelle Pénélope.

RONAN

T'inquiète, t'inquiète... Salut Pénélope... Je suis content de voir une Québécoise parce que tu vas m'expliquer ce que c'est que le BLT.

PÉNÉLOPE

(Désarçonnée par la question.) Ah, oui, euh, le BLT, c'est l'abréviation pour le sandwich Bacon, Laitue, Tomate.

RONAN

Non, putain, moi je voulais parler du Bloc de libération traditionnel du Québec, quelque chose comme.

LÉON

T'es con, toi! Ça, c'est le FOQ.

PÉNÉLOPE

Non, FLQ: Front de libération du Québec.

LÉON, RONAN

Front de libération du Québec.

RONAN

Alors, tu vas nous expliquer ce que c'est.

PÉNÉLOPE

(Anxieuse.) Vous avez vraiment envie d'entendre parler de ça? Chez nous, on n'est plus capables.

RONAN

Mais si, ça nous intéresse vachement le FAQ parce qu'ici on a l'ARB, l'Armée révolutionnaire bretonne.

Léon

Ouais, et ces petits vauriens, ils ont fait sauter le McDo de Quévert et ils ont tué une pauvre jeune fille bretonne. Ce sont des assassins, ces cons.

Ronan

Bon, alors, tu nous expliques le FDQ?

Pénélope

FLQ... Euh, il y a eu les événements d'Octobre 70, mais moi j'avais sept ans. Ce que je sais du FLQ, je l'ai d'abord appris au début des années 80 dans un cours d'histoire du Québec par un prof qui faisait partie des marxistes en voie de disparition. Il y a eu un manifeste lu à la télévision. Notre prof nous a montré l'extrait télé. C'est fou, j'ai l'impression que tout le monde au Québec a oublié le contenu du manifeste mais on se souvient tous de celui qui en a fait la lecture: Gaétan Montreuil.

Ronan

Il était membre du FMQ, Gaétan Montreuil?

Pénélope

FLQ, non. C'était un présentateur télé et je crois bien que c'est la dernière chose au monde qu'il aurait aimé lire en ondes.

Ronan

Bon, et ça commence de quelle façon, le FIQ?

Pénélope

FLQ.... Comment ça commence? *(Grand soupir.)*

Léon

Oh! c'est bien beau, les mouvements révolutionnaires, mais on est d'abord ici pour prendre un pot...

RONAN

Ouais, un pot…

LÉON

(Au serveur, qu'on ne voit pas.) Hé! Erwan, tu nous apportes un pot, s'il te plaît.

RONAN

Ouais, un pot…

LÉON

Allez, Pénélope, le FTQ maintenant.

PÉNÉLOPE

FLQ. Bon… puisque ça vous intéresse…

NOIR

Marie Charlebois et Patrice Coquereau.

Scène 11

Au bistro, un peu plus tard. Ronan, Léon et Pénélope autour de la table. Les pots sont presque vides.

PÉNÉLOPE

Donc, aujourd'hui, le FLQ, c'est un vieux monsieur amer, raciste, hargneux et triste et des jeunes gens en colère qui s'ennuient et qui disent des niaiseries nationaleuses que personne n'écoute.

Léon et Ronan hochent la tête avec compréhension.

LÉON

Hé ben! c'est très clair.

PÉNÉLOPE

Ah oui?

RONAN

Si, si, très clair…

LÉON

Très clair.

RONAN

Ouais, pour être clair, c'est clair.

LÉON

En clair, ça a foutu la merde et ça a servi à rien.

RONAN

En clair, y a plus que les cons d'extrême droite dans le FPQ.

PÉNÉLOPE

FLQ. En clair, c'est presque ça.

> *Dans les répliques suivantes, Pénélope essaie de suivre en allant de l'un à l'autre comme un match de tennis.*

RONAN

Nous, ici, c'est moins clair.

LÉON

Pour ça, c'est beaucoup moins clair.

RONAN

On ne peut pas dire que ça soit clair.

LÉON

D'abord, y a l'Armée révolutionnaire bretonne.

RONAN

Les cons qui ont fait péter le McDo de Quévert.

LÉON

Eux, tu vois, on sait pas bien si c'est des cons d'extrême droite ou d'extrême gauche.

RONAN

Ou centre droite, centre gauche.

LÉON

C'est pas clair pour nous.

RONAN

Et c'est pas clair pour eux.

LÉON

Et y a aussi Emgann...

RONAN

Qui veut dire «combat» en Breton. Mais Emgann a choisi l'action légale et politique, un peu comme votre MQ.

PÉNÉLOPE

PQ.

RONAN

Oui, bon... Mais attention, Emgann n'est pas la vitrine légale de l'ARB. C'est pas comme le Sinn Fein et l'IRA.

LÉON

Ah non, ç'a rien à voir... mais je crois qu'ils ont des liens informels.

RONAN

Possible, mais c'est pas clair.

LÉON

Non, c'est pas clair.

RONAN

Et faut pas oublier l'organisation Skoazell Vreizh, qui vient en aide aux familles des prisonniers politiques bretons.

PÉNÉLOPE

Y a des prisonniers politiques bretons?

LÉON

Oui, euh, bon... Enfin, quelques-uns.

RONAN

Une histoire pas très nette...

LÉON

Pas claire du tout.

RONAN

Par contre, y a une chose de sûre : les pots sont vides.

LÉON

C'est clair... Erwann, tu nous remets ça.

NOIR

Scène 12

Au bistro, encore un peu plus tard. Ronan,
Léon et Pénélope sont maintenant pas mal
«pompettes».

RONAN

Tu vois, Pénélope, c'est pas tout parce que, dans l'attentat du McDo de Quévert, y a un flou.

LÉON

Ah oui, un gros flou.

RONAN

Un flou pas clair, tu vois.

LÉON

Hé! faut pas oublier que dans l'affaire de Quévert, y a l'affaire dans l'affaire parce que, quand les flics ont inspecté le McDo de Pornic, ils se sont mêmes pas rendus sur les lieux. À Pornic, je veux dire... Parce que là, y a le McDo de Pornic dans l'affaire.

RONAN

Est-ce que tu suis bien, là, Pénélope?

PÉNÉLOPE

Trrrès bien… Moi, ce que j'en comprends de toute cette histoire, c'est que c'est pas clair.

RONAN ET LÉON

Non, c'est pas clair.

RONAN

Tu sais ce que j'aimerais bien, moi, Pénélope, maintenant qu'on se connaît un peu plus?

LÉON

Hé! putain de bordel, t'es poli avec la petite!

RONAN

T'inquiète… Tu sais ce que j'aimerais, c'est que tu me récites un extrait du manifeste du FSQ.

PÉNÉLOPE

(Criant.) FLQ! L, câlice! Un L pour «libération», comme Vive le Québec libre! FLQ, ça va-tu rentrer dans tes osties d'oreilles de Breton?

> *Temps de silence. Tension. Ronan et Léon se regardent, surpris, puis ils éclatent de rire.*

RONAN

(En riant.) Elle a des couilles, la Québécoise!

> *Il tape dans le dos de Pénélope.*

PÉNÉLOPE

Ouais, la femme québécoise a des couilles. C'est l'homme qui en a pas.

> *Pénélope rit de sa blague.*

RONAN

Alors, tu m'en récites un extrait du manifeste de votre *F,* euh, machin?

PÉNÉLOPE

Je suis désolée, Ronan, mais j'ai pas le goût de m'en souvenir. M'as te dire une affaire, par exemple : je pense que, comme manifeste, c'était pas clair.

> *Léon et Ronan hochent la tête. À ce moment, Gaël (un grand dadais plus jeune que Léon et Ronan) entre dans le bistro. Il est habillé en Ronald McDonald. Pénélope est complètement abasourdie par cette image.*

LÉON

Hé! Gaël!

GAËL

Elle est où, la Québécoise?

LÉON

Elle est ici, la Québécoise. Elle s'appelle Pénélope et tu es poli avec.

GAËL

C'est Erwann qui m'a dit qu'y avait une Québécoise. Je serais venu plus vite mais, avec toute cette purée de brouillard, c'est la merde pour conduire.

> *Gaël se joint à Léon, Ronan et Pénélope.*

RONAN

Alors, Pénélope, lui, c'est Gaël. Gaël, Pénélope.

LÉON

(Donnant une claque derrière la tête de Gaël.) Allez, galopin, dis à la dame ce que tu fais.

PÉNÉLOPE

Je risque quelque chose. Vous êtes un Gaël McDonald...

GAËL

(Regardant autour de lui, s'approchant de Pénélope, parlant tout bas sur un ton de conspirateur.) Je suis agent double pour l'Armée révolutionnaire bretonne. C'est ce qui explique ma tenue de... combat.

LÉON

Erwann! *(Il montre un pot.)*

NOIR

Scène 13

Au bistro, quelques instants plus tard.

Ronan, Léon, Gaël McDonald, Pénélope.

GAËL

Je suis venu ici pour entendre parler du mouvement québécois de l'ALQ.

RONAN

(Donnant une claque derrière la tête de Gaël.) FLQ.

PÉNÉLOPE

(Découragée.) Pas encore...

LÉON

Attends, attends. Si tu permets, Ronan et moi, on va lui expliquer.

RONAN

Quoi?

LÉON

Hé! on explique à ce con le FMQ. La pauvre petite, elle est pas venue ici pour passer son temps à raconter l'histoire des terroristes québécois, merde!

RONAN

Oui, t'as raison, Gaël. On t'explique. Tu vas voir, c'est très clair.

Un temps, Léon et Ronan se regardent. Qui commence?

LÉON

Ben alors, vas-y!

RONAN

Oui, euh... D'abord, dans les années soixante, les mecs, ils font sauter Westmount.

PÉNÉLOPE

(Levant la main pour intervenir.) Euh...

LÉON

Noooon! Ils font pas sauter Westmount, ils font sauter des boîtes aux lettres dans Westmount.

PÉNÉLOPE

C'est plutôt ça. Parce que, s'ils avaient fait sauter Westmount, oh boy qu'on se serait fait massacrer!

LÉON

Attention, hein, c'étaient des boîtes aux lettres avec une idéologie canadienne.

RONAN

Voilà. Là-bas, les boîtes aux lettres, elles sont contre l'indépendance. Alors, les mecs, ils mettent des bombes dans les boîtes aux lettres.

GAËL

De toute façon, dans les années soixante, y avait pas de McDo, alors...

LÉON

À force de faire sauter des boîtes aux lettres canadiennes, les mecs, ils se rendent compte que ça ne change rien du tout pour la nation québécoise.

RONAN

Alors, ils enlèvent un diplomate et un ministre.

LÉON

Ouais. Ils relâchent le diplomate, mais ils ont gardé le ministre en otage...

RONAN

Parce qu'ils payaient le poulet *barbecue* à tout le monde. Tu vois, les mecs, ils étaient pauvres. C'était le ministre Pont Pierre-Laporte...

LÉON

Et là, les mecs, tu vois, ils font un manifeste qui est lu à la télé par le célèbre présentateur Gaétan Montréal.

RONAN

Gaétan Montréal le célèbre présentateur télé ! Putain ! Gaël, ça te dit rien ? Pourtant c'est facile à retenir : Montréal, comme la ville, et Gaétan comme Gaétan quoi.

LÉON

(Qui donne une claque derrière la tête de Gaël.) Gaétan Montréal, le présentateur télé.

GAËL

Si, si, Gaétan Montréal. Mais il disait quoi, le manifeste ?...

LÉON

Ah ça, c'était pas clair comme manifeste.

RONAN

Non, c'était pas clair.

GAËL

Ah! les manifestes, putain! C'est dur d'être clair dans les manifestes.

LÉON

Toujours est-il que les mecs ont encore le ministre Pont Pierre-Laporte en otage.

RONAN

Alors t'as le premier ministre canadien...

LÉON

Pierre Helmut Trudeau...

RONAN

Qui lâche l'armée et la *Loi des mesures de guerre.*

LÉON

Et les gendarmes canadiens arrêtent tous les Québécois.

RONAN

Et, en prison, y a le grand chef médical Michel Chartreux qui en profite pour écrire une belle lettre d'amour à sa femme, mais ça, Radio-Canada l'a censuré dans la série télé sur lui et sa femme qui était parente avec le peintre Monet.

LÉON

Hé! Pénélope, tu trouves pas qu'on s'enlise un peu?

PÉNÉLOPE

Non, c'est parfait, continuez.

LÉON

Bon, je te fais ça court, Gaël, parce qu'on va pas y passer la nuit. Y a le ministre Pont Pierre-Laporte qui en a marre de payer le poulet à tout le monde. Du coup, les mecs, ils ont plus rien à bouffer et quand t'as plus rien à bouffer, tu deviens agressif, alors ils tuent le ministre Pont Pierre-Laporte en octobre 70. Alors, on appelle ça les événements d'Octobre 70.

RONAN

Ils ont retrouvé le corps du ministre Pont Pierre-Laporte dans un coffre de char.

GAËL

Un coffre de char? Qu'est-ce que c'est que ça?

LÉON

On s'en fout. C'est un truc québécois, un coffre de char, un truc pour ranger les cadavres de ministre, quelque chose comme ça. C'est pas important, hé!

RONAN

Aujourd'hui, c'est des cons à la Le Pen qui sont dans le F… machin. Voilà…

PÉNÉLOPE

Messieurs, bravo, c'est une synthèse lumineuse.

GAËL

N'empêche, j'aurais bien aimé savoir ce que disait le manifeste.

PÉNÉLOPE

Désolée, mais j'arrive pas à m'en souvenir.

LÉON

C'est pas grave, on s'en fout des manifestes. Erwann!
(Il fait signe d'apporter un pot.)

NOIR

Scène 14

Au bistro, pas mal plus tard. Ronan, Léon,
Pénélope et Gaël sont saouls.

LÉON

(Lyrique.) Alors, ma belle Pénélope, qu'est-ce que tu as
vu de notre pays de pierre, de port, de mer, de purin
de porc et de pots? Oh! Erwann...

RONAN

Non. C'est bon, là, Léon. On a encore ce qu'il faut.

PÉNÉLOPE

Je suis allé dans la forêt de Bocéline.

RONAN

La forêt de BROCÉLIANDE.

PÉNÉLOPE

Ah! Ah! Ça fait chier, hein, quand on ne dit pas les
noms comme il faut!

Tous rigolent... Pénélope se lève.

PÉNÉLOPE

Messieurs, excusez, mais faut que j'aille au petit coin.

LÉON, RONAN, GAËL

(Avec une tendresse virile.) Normal, t'es une pisseuse.

> *Pénélope sort.*

LÉON

Ah putain! cette petite me brise le cœur.

GAËL

Pourquoi? T'as le béguin pour elle?...

> *Gaël avance la tête pour recevoir sa claque.*
> *Léon prend plutôt une gorgée de vin. Gaël et*
> *Ronan sont surpris, mais savent que Léon va*
> *dire quelque chose d'important.*

LÉON

Pénélope fait sans doute son dernier voyage. Elle a un bordel de cancer de merde.

RONAN ET GAËL

(Prenant chacun une grande gorgée de vin.) Merde...

> *Un temps. Léon, Gaël et Ronan ne savent pas*
> *quoi dire.*

LÉON, RONAN, GAËL

(Prenant une grande gorgée de vin.) Merde...

> *Pénélope revient. L'attitude des trois Bretons*
> *envers elle a changé. Ils sont figés et mal*
> *à l'aise. Évidemment, Pénélope s'en rend*
> *compte.*

PÉNÉLOPE

Qu'ossé qu'y a? On dirait que vous venez de voir un mort.

> *Ronan, Gaël et Léon prennent une grande*
> *gorgée de vin.*

RONAN

(Toussotant exagérément.) Non, non, non, non, non...

GAËL

(Dans un élan lyrique.) T'es la fille la plus extraordinaire que j'ai rencontrée de toute ma putain de vie de Breton.

PÉNÉLOPE

(Qui ne comprend pas ce qui se passe.) Hé! ça vous trouble à ce point-là de voir une fille partir pisser?

LÉON

Tu sais, ma belle, je leur ai dit pour ton... *(Il prend une gorgée de vin.)*

RONAN

Oui, Léon nous a dit pour ton... *(Il prend une gorgée de vin.)*

GAËL

On est vraiment désolés...

> *Gaël se met à chialer comme un enfant.*

PÉNÉLOPE

(Qui refuse de voir la soirée s'enliser dans le pathos, prise d'une inspiration soudaine.) Eille, eille, je viens de me rappeler un bout du manifeste.

GAËL

(Séchant ses larmes.) Super, le manifeste.

RONAN

Vas-y, on t'écoute...

PÉNÉLOPE

Je vais essayer de vous le faire en imitant Gaétan Montreuil.

> *Elle se racle la gorge et tente tant bien que mal d'imiter Gaétan Montreuil lisant le manifeste du FLQ. Léon, Gaël et Ronan sont hyper attentifs.*

PÉNÉLOPE

Oui, il y en a, des raisons...

> *Un temps. Léon, Ronan et Gaël attendent la suite.*

PÉNÉLOPE

C'est tout. Je me suis rappelé ce bout-là à cause d'une chanson de la Bolduc *Ah oui on en a des légumes*. Ah oui on en a des légumes, oui il y en a des raisons, je sais pas, j'ai fait un lien... C'est ça qui est ça.

RONAN

Ah bon... Euh, vraiment, Gaétan Montréal, tu l'as super bien.

PÉNÉLOPE

Oui, bon, euh, je pense pas que ce soit l'extrait le plus significatif... N'allez pas penser que je ne suis pas indépendantiste. Mais la politique chez nous, c'est comme du sable mouvant.

LÉON

Alors, ça va encore parce que chez nous c'est devenu de la merde mouvante.

PÉNÉLOPE

Je voudrais juste qu'on fasse l'indépendance pour nous autres. Pour se dire oui à nous-mêmes... Mais on parle jamais de ça, on parle d'argent, de mondialisation et de jardinage. Eille! arrêtez-moi, je fais quasiment un discours.

LÉON

(Se frottant les mains.) Bon, justement...

PÉNÉLOPE

On prend un pot!

LÉON, RONAN, GAËL

Non, on va manger!

PÉNÉLOPE

Ah ben oui, j'oubliais, c'est l'heure de souper. Y est passé dix heures.

RONAN

Et après, on va prendre un pot.

LÉON

Tu sais, Pénélope, on s'excuse, on dit des conneries de Bretons. Peut-être que t'aurais aimé avoir une conversation plus...

PÉNÉLOPE

J'ai le cancer mais ça m'enlève pas automatiquement le goût de rire, de déconner et de m'enivrer avec du monde que j'aime.

LÉON

Ah, euh, oui... Ben alors, on va manger... Après, on va prendre des pots et on va refaire le monde, parce que là on n'a pas encore refait le monde.

GAËL

Super! on va refaire le monde.

> *Ronan, Léon, Gaël et Pénélope se préparent à quitter les lieux.*

PÉNÉLOPE

Eille! Gaël, excuse-moi, là, mais pourquoi t'enlèves pas ton ostie de perruque?

GAËL

Oh, ce sont mes vrais cheveux.

> *On quitte les lieux en riant... Un beau grand rire gratuit et bien gras.*

Patrice Coquereau, Christian Bégin,
Marie Charlebois et Pier Paquet.

CINQUIÈME HISTOIRE

Scène 15

Le chœur se prépare à réciter... Le chœur semble montrer de la mauvaise foi.

ALEX

Cinquième histoire.

LE CHŒUR

On a besoin que tu nous réexpliques tes motivations à monter ce spectacle.

ALEX

(Menaçant, au chœur.) Si vous ne faites pas preuve de bonne foi, je vous inscris toute la gang à un stage fucké de bouffon postmoderne.

ALEX ET LE CHŒUR

(Effrayé par la menace.) Cinquième histoire. *Le véritable retour d'Ulysse tel que vu par Pénélope Bouchard héroïne sans fard.*

Scène 16

Ithaque, près de la maison d'Ulysse. Les prota-gonistes adoptent un ton et une attitude qui parodient le théâtre tragique, excepté Ti-Coq. Ulysse contemple son pays.

ULYSSE

Ah! Ithaque, ma patrie, mes champs, mes porcs, mes moutons, mes agneaux, mes esclaves, ma femme. J'ai voyagé, je me suis battu, j'ai baisé des déesses… Je me suis formidablement amusé et maintenant je rentre chez moi. Oh! À moi, une servante…

La bonne et vieille Euryclée approche d'Ulysse, mais ne le reconnaît pas immédiate-ment.

EURYCLÉE

Sois le bienvenu, étranger…

ULYSSE

Étranger? Regarde mes pieds pour y voir la cicatrice lais-sée jadis par la blanche défense d'un sanglier à l'époque où j'allais sur le Parnèse visiter Autolycos et ses fils. *(Ému.)*

EURYCLÉE

(Troublée.) Ulysse? Maître Ulysse est de retour…

ULYSSE

Si, nourrice Euryclée, c'est bien moi, ton maître Ulysse. Laissons les bains de pieds… Conduis-moi à ma petite femme. J'ai grande envie de labourer sa Terre promise, si tu vois ce que je veux dire. *(Rire gras.)*

EURYCLÉE

(Qui voit trop bien ce qu'il veut dire et qui ne le trouve pas drôle.) Mais, mais, il y a tous ces prétendants dans la maison…

ULYSSE

Des prétendants!

Ulysse prend Euryclée par le cou et l'attire vers lui de façon violente et brusque.

ULYSSE

Écoute-moi bien, nourrice. J'ai tété ton lait. Tu m'as élevé comme ton fils mais tu vas faire tout ce que je vais te dire, sinon je jure sur la tête de mon père que je t'ouvrirai le ventre et étalerai tes tripes pour les charognards si tu ne respectes pas les ordres que voici: tu ne dis à personne qu'Ulysse est de retour, tu te caches et tu attends. Tu as bien compris?

EURYCLÉE

(Effrayée.) Oui, maître Ulysse…

Ulysse relâche dédaigneusement Euryclée.

ULYSSE

Bien. Le temps du châtiment est venu. Télémaque!!!… Ouaaaarrrr…

Euryclée s'enfuit, Ulysse rigole. Bruit de bataille.

Scène 17

La chambre de Pénélope. Pénélope dort...

EURYCLÉE

Éveille-toi, Pénélope, mon enfant. Viens, que tes yeux voient ce que tu veux depuis... euh... depuis vingt ans finalement.

Pénélope s'éveille.

PÉNÉLOPE

(Inquiète.) J'ai bien entendu, ma bonne Euryclée. Il est de retour?

EURYCLÉE

(Pas contente du tout.) Oui...

PÉNÉLOPE

Et les prétendants?

EURYCLÉE

(Avalant sa salive.) Tous euh... *(Elle fait un geste de meurtre.)*

PÉNÉLOPE

Avec son arc?

EURYCLÉE

Plus une hache et l'aide de Télémaque avec son épée.

PÉNÉLOPE

(Grimaçant.) Oh, que tout cela ne doit pas être beau à voir.

EURYCLÉE

Il y en a partout, va falloir faire tout nettoyer...

PÉNÉLOPE

Oui je sais, comme lorsqu'il décidait de faire la cuisine.

EURYCLÉE

(Pour elle-même, en aparté.) Maintenant que maître Ulysse est de retour, tout sera différent entre Pénélope et moi. Je vais perdre ma maîtresse adorée.

PÉNÉLOPE

Euryclée, cesse de parler en aparté, je t'entends.

> *Euryclée se jette aux pieds de Pénélope et lui enserre la jambe. Pénélope reste digne, noble et altière.*

EURYCLÉE

Oh! maîtresse Pénélope, j'ai peur. Qua va-t-il adviendre de nous?

PÉNÉLOPE

Advenir.

EURYCLÉE

Quoi?

PÉNÉLOPE

Que va-t-il advcfenir de nous, voilà l'usage grammati-
cal exact.

EURYCLÉE

Oh! oui maîtresse, advenir, advenir... Mais que va-t-il
adviendre de nous?

En soupirant, Pénélope essaie de se dégager.
Euryclée s'agrippe fermememt à la jambe.

PÉNÉLOPE

Relève-toi, Euryclée, tu n'es pas une vadrouille, à ce
que je sache.

EURYCLÉE

Oh! maîtresse, tout va changer.

Pénélope agrippe fermement Euryclée et la
relève brusquement.

PÉNÉLOPE

Oui, Euryclée, les choses changent, la vie bouge, les
destins se déplacent, l'activité humaine se remue,
l'existence se meut.

Elle repousse Euryclée.

EURYCLÉE

Oui, maîtresse Pénélope. Oh, vous êtes la femme la
plus extraordinaire que je connaisse.

Dans un grand mouvement de passion admi-
rative, Euryclée vient pour se jeter à nouveau
aux pieds de Pénélope. Pénélope l'arrête d'un
geste autoritaire de la main.

PÉNÉLOPE

Suffit! Bon, je suppose que je dois descendre maintenant.

EURYCLÉE

Non. Il vous attend dans la pièce voisine parce que, parmi les bras, jambes, viscères, sang, cervelles et têtes arrachées, il ne trouvait pas cela convenable.

PÉNÉLOPE

Oui, il a toujours eu le sens des convenances.

Pénélope sort, suivie d'Euryclée.

Scène 18

Une pièce de la maison. Ulysse, maculé de
sang frais et de morceaux de cervelle, attend
sa petite femme. Télémaque, lui aussi bar-
bouillé de sang, est à ses côtés. Il a encore l'épée
à la main. Il est hyper excité. Il donne des
coups d'épée dans le vide. Il en veut encore...

TÉLÉMAQUE

On pourrait trouver d'autres prétendants, hein, père?
D'autres prétendants à qui on déchirerait la peau, à qui
on trancherait la tête, à qui on...

ULYSSE

Calme-toi, mon fils... Il nous faut être dignes pour recevoir ta mère, ma femme.

TÉLÉMAQUE

Oui, père, mais après on ira sur la route. Il y a sûrement d'autres prétendants à qui on...

ULYSSE

Tais-toi...

Télémaque se tait, mais on sent qu'il bout et
qu'il contient son énergie. Pénélope entre di-
gnement.

ULYSSE

(Grossièrement, levant les bras au ciel.) Ma petite femme... Viens dans mes bras que je te serre contre moi et que, sans aucune vergogne, je t'empoigne les fesses.

PÉNÉLOPE

Ce ne sera pas nécessaire, je crois.

ULYSSE

(Surpris, restant les bras dans les airs.) Que? Quoi? Qu'est-ce qu'elle a dit?

TÉLÉMAQUE

(Faisant tournoyer son épée.) Mère, en voilà une façon de s'adresser à Ulysse, le maître de cette maison. Tu veux, père, que je...

Ulysse baisse les bras et retient son fils.

ULYSSE

Laisse, fils...

Il tend les bras vers Pénélope.

ULYSSE

Pénélope, c'est moi, Ulysse! Ton petit porcelet d'amour.

PÉNÉLOPE

En vingt ans, le porcelet d'amour est devenu un gros porc hargneux.

ULYSSE

(Décontenancé, restant les bras dans les airs.) Je ne m'attendais pas du tout à ça... *(Criant de toutes ses forces.)* JE SUIS ULYSSE!!!

PÉNÉLOPE

Oui, oui, oui, on a tous entendu… du moins, ceux que tu n'as pas encore assassinés. Et ceux-là, de toute façon, n'entendent plus rien, alors pas la peine de hurler.

ULYSSE

Pénélope, je… Je… Je suis bouche bée.

TÉLÉMAQUE

(Faisant tournoyer son épée.) Père, tu veux que je…

PÉNÉLOPE

Télémaque, si tu ne te calmes pas, Euryclée va te servir une potion de ritalin.

TÉLÉMAQUE

(Essayant de se calmer.) Oui. mère, maintenant je vais être calme.

> *Télémaque se retient, mais laisse échapper des gestes nerveux.*

PÉNÉLOPE

Ulysse, bienvenue dans ta maison. J'attendais que tu reviennes pour te dire une chose…

> *À ce moment, Ti-Coq (habillé en militaire de la guerre 39-45, parlant vite et utilisant beaucoup ses mains) entre.*

TI-COQ

Euh, excusez… J'me présente : Ti-Coq du Québec. Je viens voir monsieur Ulysse.

> *Ulysse, Pénélope et Télémaque regardent Ti-Coq sans comprendre qui il est. Ulysse*

regarde Pénélope, Pénélope hausse les épaules
en signe d'ignorance.

TÉLÉMAQUE

(Faisant tournoyer son épée.) Père, tu ne crois pas que
c'est un prétendant? Assurément, c'est un étranger qui
se prétend des nôtres. Il mérite qu'on lui ouvre la gorge
pour voir le sang gicler sur les murs et...

> *Ti-Coq recule prudemment. Ulysse retient son*
> *fils.*

ULYSSE

Attends, fils. Avant de tuer un étranger, il convient de
bien le recevoir. Que viens-tu faire en terre d'Ithaque,
Ti-Coq du Québec?

TI-COQ

Je m'excuse de vous demander pardon de vous déran-
ger à votre retour de voyage, m'sieur Ulysse, mais
d'après mam'zelle Pénélope Bouchard, moé itou je suis
un personnage mythique. Même qu'elle a fait un doc-
torat rapport à ma p'tite personne : *Ti-Coq ou le mythe*
du bâtard dans la notion d'identité québécoise. Fait que
fallait ben que je vous rencontre parce que j'essaie de
faire les retrouvailles avec mon père. J'me suis dit :
entre mythes faut ben s'aider un peu, hein? Fait que,
dans vos voyagements, vous seriez-ti pas par hasard
passé par le Québec?

PÉNÉLOPE

Pardon, vaillant Ti-Coq, mais le moment est bien mal
choisi. Mon mari et moi avons des choses à nous dire.

TI-COQ

J'm'excuse, madame Ulysse, mais c'est toujours de
même avec moé, j'suis toujours là où il faut pas.

ULYSSE

Laisse-moi régler cela, femme… Je ne crois pas être allé en ce coin de terre, Ti-Coq… mais sait-on jamais? Parle-moi de ta patrie… Quelles en sont, par exemple, les figures légendaires?

TI-COQ

Ah ça, vous savez, moé, j'ai pas beaucoup d'instruction. Dans les orphelinats, on vous apprenait juste ce qu'il fallait. Ou bedon, on les changeait en asile pour faire de l'argent pis du coup on n'apprenait plus rien aux enfants parce que tous les orphelins devenaient des fous officiels du gouvernement, whoopi! Mais bon, on a d'Iberville parce que y a tué des Indiens. On a Madeleine de Verchères parce qu'elle a tué des Indiens. On a, euh, le père Brébeuf parce qu'il s'est fait tuer par des Indiens…

> *Ulysse, Pénélope et Télémaque se regardent.*
> *Visiblement, ça ne leur dit rien.*

TI-COQ

(Cherchant.) Euh… Ah oui, lui, vous le connaissez sûrement : Mauisse Ichawr.

ULYSSE

Mauisse Ichawr?

> *Pénélope, Télémaque et Ulysse font signe que*
> *non à Ti-Coq.*

TI-COQ

Vous connaissez pas Mauisse Ichawr? Lui aussi, c'est un mythe bien de chez nous. Voyons, Mauisse Ichawr, c'est comme un Hercule du hockey. Mauisse Ichawr… Vous le replacez pas? Mauisse Ichawr… Et compte! Mauisse Ichawr?

ULYSSE

(Se frottant le front de découragement.) Bon, Ti-Coq, j'ai fait un très long voyage, je suis un peu fatigué et je voudrais bien passer un peu de temps avec ma petite femme. Je t'affirme que je ne suis pas ton père. Télémaque, maintenant que nous avons fait preuve d'hospitalité, tu peux découper Ti-Coq en morceaux et les donner aux chiens.

Télémaque fait tournoyer son épée.

TI-COQ

Je veux ben croire que je suis pas un futé mais y a des choses qui se comprennent. M'sieurs dames...

Ti-Coq se sauve, poursuivi par Télémaque. Les deux sortent. Ulysse tend les bras vers Pénélope.

ULYSSE

Ma petite femme en or.

PÉNÉLOPE

Je disais donc que j'avais une chose à t'annoncer : je pars. Et toi, le grand Ulysse fertile en ruses, n'aie pas l'insolence de me demander des explications et ne tente pas de me retenir. Je pars... J'en ai assez de tisser, de rester digne, d'attendre, de parler comme si j'avais un balai dans le cul. J'en ai assez de vivre comme si j'étais immortelle. J'attendais patiemment ton retour pour une seule chose : te regarder droit dans les yeux et te dire : je pars. C'est tout.

Pénélope sort. Ulysse reste pantois, les bras dans les airs.

ULYSSE

(Toujours les bras dans les airs.) Pénélope ? Pénélope ?
Pénélope...

>   *Il baisse les bras.*

ULYSSE

Bon... Puisque c'est comme ça, je vais retourner me
battre. Et ils vont en manger... une maudite...

>   *Ulysse sort.*

Scène 19

Le chœur s'avance et proclame :

ALEX

Sixième histoire... Eille !

LE CHŒUR

Qui, parmi nous, n'a jamais pris conscience de la précarité de notre existence ?

Alex soupire.

ALEX

(Hurlant.) Sixième histoire...

LE CHŒUR

Est-ce qu'on va avoir le courage de poursuivre notre questionnement malgré cet opprobre ?

ALEX

Le tatouage...

LE CHŒUR

Est-ce qu'on va avoir le courage de poursuivre notre recherche sur le sens de nos grand'souffrances humaines malgré la fatalité de notre destin : être un chœur déglingué dans une comédie ?

ALEX

(Menaçant.) Est-ce que vous avez d'autres questionnements profonds qui ne font pas avancer l'action ou bien on peut continuer ?

ALEX ET LE CHŒUR

Sixième histoire. Montréal, le dix mars soixante dix-huit. Pénélope a quinze ans et tous ses atours. Elle entre dans une boutique au nom explicite mais au très mauvais jeu de mots, la boutique *Tatoué... pour toujours.*

Pier Paquet, Isabelle Vincent,
Patrice Coquereau et Christian Bégin.

Scène 20

1978... Dans sa boutique, le tatoueur, indifférent comme un lézard, fume en écoutant du rock américain des années 70. Bob a un gros accent montréalais. Pénélope a quinze ans et un gros accent du Saguenay. Elle porte une robe longue, une blouse indienne, des bracelets de gitane. Exaltée, elle entre dans la boutique.

PÉNÉLOPE

S'lut, je voudrais un tatouage.

LE TATOUEUR

Ben, t'es à bonne place... S'lut.

PÉNÉLOPE

C'est un moment important dans ma vie. Je suis en voyage, mon premier toute seule, sans ma famille. Je tripe au boute... pis je veux m'en souvenir toute ma vie. Le tatouage, ça va être le symbole de ce premier voyage-là.

LE TATOUEUR

Tu viens d'où ?

PÉNÉLOPE

Chicoutimi-Nord... Je m'appelle Pénélope.

LE TATOUEUR

Moé c'est Bob pis je viens de Verdun. T'as quel âge, Pénélope?

PÉNÉLOPE

Quinze ans…

LE TATOUEUR

Tabarnak… T'es pas en fugue toujours?

PÉNÉLOPE

(Qui ment.) Non, non, mes parents sont au courant.

LE TATOUEUR

Anyway, c'est pas de mes osties d'affaires.

PÉNÉLOPE

Hier soir au théâtre St-Denis je suis allée voir le show d'Octobre. *(Amoureuse.)* Pis quand ils ont joué *Les nouvelles terres,* je suis certaine que Pierre Flynn m'a regardée.

LE TATOUEUR

Eille! tu parles en ostie, toé. Pis à matin je file pas pour ça. Hier j'ai joué à capitaine Paf avec les chums, fait que… Qu'ossé tu veux comme tatouage?

PÉNÉLOPE

Ouais, euh… Je sais pas… Si on pouvait se faire tatouer du vent…

LE TATOUEUR

Tatouer du vent? Moé, j'ai surtout des têtes de mort pis des aigles.

PÉNÉLOPE

Je l'ai trouvé! Tu vas me tatouer *Les nouvelles terres*. C'est ma chanson préférée de mon groupe québécois préféré. C'est mon premier voyage. *(Elle s'emporte.)* Pis quand je vais partir pour faire plein d'autres voyages, quand je vais voir la mer pour la première fois sur la rive d'un nouveau pays, je vais avoir *Les nouvelles terres* d'écrit sur mon corps. Eille! ça fite au boute! *(Elle rit.)*

LE TATOUEUR

OK, mais où tu le veux, ton tatouage?

PÉNÉLOPE

Ouais, euh... Peut-être sur mon épaule... ah non, dans le bas de mon dos... Euh, peut-être ce serait plus beau sur ma nuque. Non, finalement l'épaule ce serait bien... Hon, en y repensant...

LE TATOUEUR

R'garde ben ma 'tite pitoune, penses-y comme faut pis tu reviendras quand tu le sauras.

PÉNÉLOPE

Non! C'est tout de suite... Ouais... Euh... À la cheville! La cheville gauche, la cheville du côté du cœur.

LE TATOUEUR

OK, à la cheville... Pis quelle couleur?

PÉNÉLOPE

Ouais, euh... Rouge... Non, euh noir... Hon peut-être mauve... À moins que...

LE TATOUEUR

Bleu, c'est-tu correct?

PÉNÉLOPE

Bleu... Oui, bleu super foncé.

LE TATOUEUR

Bleu marin?

PÉNÉLOPE

Bleu marin! C'est tripant parce qu'y va aussi y avoir la mer dans la couleur des mots.

LE TATOUEUR

Tabarnak que c'est intense, des ados. Bon, on y va... Enlève ton soulier... Mets ton pied là...

PÉNÉLOPE

(En s'installant et en dénudant son pied.) OK... *(Un peu craintive.)* Ça fait très mal?

LE TATOUEUR

(Avec un sourire un peu sadique.) Non, jusse ben.

> *Le tatoueur prend son kit. Il prend l'aiguille à tatouer et s'approche de Pénélope. À ce moment, une musique céleste envahit la boutique. Dans un grand corridor de lumière, l'ange Dirdudirel apparaît à Pénélope. Le tatoueur est disparu.*

DIRDUDIREL

Paix en ton cœur, Pénélope...

PÉNÉLOPE

C'est quoi, cette affaire-là? C'est donc ben flyé.

DIRDUDIREL

Je suis un ange venant du futur... L'ange Dirdudirel invoqué par ta sœur Brigitte...

PÉNÉLOPE

Ah, c'est poche... Hé qu'est gênante, ma sœur!

DIRDUDIREL

Ta sœur veut t'aider, Pénélope.

Dirdudirel poursuit sa chorégraphie poético-humoristique.

PÉNÉLOPE

Arrête, je tripe pas, eh que je tripe pas là, je tripe pas pantoute, c'est pas tripant. Pis en plus c'est ben trop là... Bon, c'est quoi que tu veux, là?

DIRDUDIREL

Pénélope, je viens t'annoncer que par ce tatouage tu vas mourir.

PÉNÉLOPE

Ah ouais? C'est rushant ça... Quand?

DIRDUDIREL

Au début du prochain millénaire...

PÉNÉLOPE

Ah ouais, ça veut dire que je me rendrai même pas à quarante ans. C'est plate, même si quarante ans c'est vieux. Pour qu'ossé faire que tu viens me dire ça?

DIRDUDIREL

Ce tatouage va te donner le virus de l'hépatite C. Pendant vingt et un ans, tu seras porteuse du virus sans jamais le transmettre et sans que rien n'y paraisse. Mais en novembre 99 tu vas ressentir une grande fatigue et tu vas commencer à perdre beaucoup de poids. C'est que ton hépatite C va se transformer en un foudroyant cancer du foie. C'est absurde mais c'est d'même.

PÉNÉLOPE

Ah ouais, ayoye, méchant *badtrip*.

DIRDUDIREL

(Ultrapositif.) Oui mais, grâce à ta sœur, au moment où la grande faucheuse viendra te cueillir, je serai là pour t'accompagner vers l'éternité.

PÉNÉLOPE

Si je te vois là, je te casse la gueule.

DIRDUDIREL

N'oublie pas, Pénélope, la mort peut être une expérience positive.

Dirdudirel s'éloigne.

PÉNÉLOPE

Eille! minute, papillon...

DIRDUDIREL

Oui?

PÉNÉLOPE

Si y existe, je voudrais rencontrer Dieu.

DIRDUDIREL

(Se dandinant.) Ah, c'est que ce n'était pas prévu. J'étais venu seulement pour livrer ta prémonition.

PÉNÉLOPE

Ben, on est dans la démesure ou ben on l'est pas.

DIRDUDIREL

C'est qu'avec Dieu, ça va devenir carrément grotesque.

PÉNÉLOPE

Oui, mais c'est moi qui décide. Je veux le voir. Je veux lui dire que c'est un ostie de chien sale de me faire mourir avant quarante ans. C'est pas juste.

DIRDUDIREL

(Soupirant.) Euh, c'est que Dieu, c'est compliqué. Il existe, il n'existe pas. Entre toi et moi et pour parler franchement, y est pas mal mêlé, le bonhomme. Y en a qui l'appellent Bouddha, d'autres Allah, le Christ, la force universelle, le grand manitou, le grand tout, l'amour infini, les extraterrestres. Y en a qui l'appellent pas pantoute. Y en a d'autres qui disent qu'y a peut-être quelque chose, mais on le sait pas. Y est pas né, y est pas mort. C'est assez pour fucker quelqu'un, m'as te le dire. Mais bon, si tu veux l'rencontrer, y a pas de problème.

PÉNÉLOPE

(Décidée.) J'aimerais ça…

DIRDUDIREL

(Soupirant.) OK! *(Criant.)* Dieu… *(À Pénélope.)* On sait pas dans quel état il va être. Dieuuuuuuuuu!

> *Dieu fait son entrée. Il a une démarche monarchique. Il est très imbu de lui-même.*

DIEU

(S'écoutant parler avec délectation.) Je suis celui qui suis. Je suis celui qui suis. Je suis celui qui suis. Celui qui suis, celui qui suis. Qui suis, qui suis… Qui suis-je? Je suis celui qui suis. Je suis celui qui suis. Je suis celui qui suis. Ah, Pénélope Bouchard du Québec. Aaaaah le Québec… *(Philosophe.)* Un épi de maïs n'est pas un philosophe hongrois. Je suis celui qui suis, je suis celui qui suis. Il n'y a pas de bière au ciel mais il nous reste

un petit fond de Bailey's. Je suis celui qui suis, je suis celui qui suis.

> *Pénélope regarde Dirdudirel avec découragement. Dirdudirel hausse les épaules d'impuissance.*

PÉNÉLOPE

Dieu?

DIEU

(Redevenant narcissique.) Mon enfant, je t'écoute. *(Façon boîte vocale.)* Votre appel est important pour nous.

DIEU

(Façon Jésus.) Père, pourquoi m'as-tu abandonné? *(Philosophe.)* Un chien peut chanter mais une chanson n'est pas un chien. Je suis celui qui suis. Celui qui suis, celui qui suis. *(Philosophe.)* Un sofa ne peut cuisiner un poulet aux pêches.

> *Dieu répète inlassablement : «Je suis celui qui suis» sur tous les tons. Il sort.*

PÉNÉLOPE

Méchant capoté... Pas moyen de rien lui dire. Pis toé, t'es un méchant casseux de trip.

DIRDUDIREL

Je suis l'ange de lumière de ta sœur et je serai là à ton dernier moment. En plus, là nous ne sommes qu'en 1978, mais en 2000 les anges ça va être super *in.*

> *Pénélope retourne s'asseoir. On revient à l'éclairage normal de la boutique. Le tatoueur est près de Pénélope. Il a terminé son tatouage.*

LE TATOUEUR

Fini... *(Il regarde.)* C'est beau... Chus quasiment ému, câlice.

> *Pénélope regarde sa cheville.*

PÉNÉLOPE

Ouais, c'est tripant.

> *Pénélope remet son soulier. Elle se lève, paie et se dirige vers la sortie.*

PÉNÉLOPE

Quand même, je me sens bizarre...

LE TATOUEUR

Pendant quelques heures, ça va t'élancer un peu. Mais, eille, c'est pas ça qui va te faire mourir.

PÉNÉLOPE

(Avec un sourire étrange.) Ouais... S'lut!

LE TATOUEUR

S'lut!

Scène 21

ALEX

Sainte-Rose du Nord est un petit village charmant niché en plein au cœur du fjord saguenéen.

LE CHŒUR

Quant à nous, très cher public, on a beaucoup réfléchi. Nous avons repensé à la menace du stage de bouffon postmoderne et nous avons changé. On a pris conscience de notre place dans cette pièce. On est un chœur de comédie québécoise. Coudon, assumons ce destin totalement.

ALEX

Sainte-Rose du Nord abrite aussi la vieille maison du grand-père paternel de Pénélope. C'est l'endroit qu'elle a choisi pour aller vivre ses tout derniers moments. Et c'est là que j'ai tout appris. Pénélope n'est jamais partie en voyage. Avant de mourir, elle a écrit toutes ces histoires à Sainte-Rose du Nord. Dans la prochaine scène, vous allez tout comprendre.

LE CHŒUR

(Ironique.) Flash-back.

Scène 22

Pénélope, Alex. Pénélope est faible et pâle.
Alex tremble, il est nerveux.

ALEX

Les histoires, est-ce que tu voudrais qu'on les joue? J'ai comme le trac, moi là.

PÉNÉLOPE

C'est loin d'être une dernière volonté. Je les ai d'abord écrites pour moi. Mais ça me ferait plaisir.

ALEX

J'ai hâte de les lire.

PÉNÉLOPE

Juste quand je vais être partie.

ALEX

Promis…

PÉNÉLOPE

Y a une autre chose aussi.

ALEX

Oui?

PÉNÉLOPE

Tu sais que je voulais retourner en Grèce voir le théâtre d'Épidaure. À côté du théâtre, y avait un genre d'hôpital et, souvent, ils envoyaient les malades voir les spectacles. Ça faisait partie du traitement.

ALEX

Tu veux que j'y aille pour toi?

PÉNÉLOPE

Oui... Tu sais, y a une tradition : quand on va dans ce théâtre, on récite un petit quelque chose. J'aimerais que pour moi, si tu y vas, tu chantes *Cha Cha Cha d'amour.*

ALEX

(Suppliant.) Tu le sais que j'haïs cette chanson-là.

PÉNÉLOPE

Moi je pense que tu l'adores mais tu es trop orgueilleux pour l'avouer.

ALEX

Je vais le faire...

PÉNÉLOPE

C'est pas obligé. Chanceux, tu vas voir le rire de la mer.

ALEX

C'est quoi ça?

PÉNÉLOPE

Pour les Grecs, le rire est un rayonnement. Quand on rit, à cause de la blancheur de nos dents, on émet une manière d'éclat de lumière. Le mot grec «gelos» a le sens de rayonnant. C'est aussi le mot qu'on utilise pour parler du rire. Homère en a fait une métaphore. Quand il fait soleil et qu'on voit le scintillement sur la mer, ces petits diamants-là, c'est… «le rire de la mer».

ALEX

Pas besoin d'aller en Grèce, ça marche aussi avec nos lacs et nos rivières.

> *Pendant la prochaine réplique de Pénélope, Alex l'observe avec une infinie tendresse et beaucoup d'amour.*

PÉNÉLOPE

Certain… Quand je regarde le Saguenay et que je le vois rire, j'arrive presque à l'entendre en même temps. Mais en Grèce c'est plus beau parce qu'Homère a pensé à ça là-bas. Et en plus, on dit qu'il était aveugle… C'est simple, c'est parfaitement inutile, mais je trouve que c'est une jolie chose à savoir. Ça rend plus joyeux. Pourquoi tu me regardes de même?

ALEX

Parce que t'es la personne la plus importante de ma vie. Parce que je trouve la vie crissement injuste de t'enlever à moi si d'bonne heure… Parce que tu vas me manquer. Parce que ça me révolte que tu deviennes une absente. Parce que je sais pas comment je vais faire pour imaginer l'Univers sans toi. Parce que t'as une crotte sur le bord du nez.

PÉNÉLOPE

(S'essuyant le bord du nez.) Niaiseux… C'est même pas vrai. *(Regardant Alex avec frayeur et anxiété.)* Tu sais, côté pratique, je pense qu'y a aucun avantage à mourir à trente-sept ans.

> *Alex s'approche de Pénélope et la prend dans ses bras. Pénélope se laisse prendre.*

PÉNÉLOPE

C'est assez, hein, de faire ma fille courageuse?

ALEX

C'est assez…

PÉNÉLOPE

Te souviens-tu de notre première scène, celle où on est tombés en amour?

ALEX

Dans une salle de classe vide du cégep. On répète la scène 10 de l'acte 3. Toinette est déguisée en médecin et elle prend le pouls d'Argan.

PÉNÉLOPE

(Elle fait Toinette médecin.) Donnez-moi votre pouls. Allons donc, que l'on batte comme il faut.

ALEX

Quand Toinette a pris mon pouls, Pénélope a pris mon cœur.

PÉNÉLOPE

C'est beau!

ALEX

Ouais, j'essaie.

Ils rigolent.

PÉNÉLOPE

Je nous trouve pas pires…

ALEX

Qu'est-ce tu veux dire?

PÉNÉLOPE

Pour notre dernière scène, on beurre pas trop épais.

> *Pénélope rit. Alex regarde dans le vide, avec une sorte d'impuissance dans les yeux.*

PÉNÉLOPE

Alex!...

ALEX

Quoi?

PÉNÉLOPE

Je t'aime...

Isabelle Vincent.

ÉPILOGUE

Scène 23

ALEX

À mon arrivée au village de Paléas Epidavros, le ciel est couvert... Me semblait qu'en Grèce y avait juste du soleil, mais bon, pas cette journée-là. Je vais sur le quai...

LE CHŒUR

Le vent est fort, les vagues de la mer font des petits pics pics qui sans cesse se reforment. On dirait... du glaçage de gâteau congelé McCain.

ALEX

Je suis très déçu de mon image. Je suis en Grèce pour accomplir un rituel beau et grand, j'ai la mer devant moi et la seule image qui me vient c'est celle du glaçage d'un gâteau congelé. Si on est à l'épicerie en train de regarder la surface du gâteau en question, c'est une belle image.

LE CHŒUR

Mais l'inverse démolit l'orgueil poétique.

ALEX

Le lendemain, levé tôt, gros soleil...

LE CHŒUR

Yé!

ALEX

Je me rends sur le site du théâtre d'Épidaure.

LE CHŒUR

Grandiose!

ALEX

Plus un petit quelque chose d'émouvant parce que je sais que Pénélope aurait aimé être ici. Je m'avance sur la scène pour chanter *Cha, cha, cha, de amor.*

> *Alex exécute l'action. Il s'avance au milieu de la scène comme s'il était à Épidaure. Il est concentré.*

ALEX

(*Au public.*) Et j'ai quitté le théâtre sans chanter *Cha, cha, cha, de amor.* Lâchement, je me suis dit que j'allais revenir un peu plus tard cette semaine.

LE CHŒUR

Menteur...

ALEX

C'est vrai, je l'ai pas fait. De toute façon, Pénélope m'avait dit que ce n'était pas une dernière volonté.

> *Alex sort une orange et l'épluche. Le chœur fait la même chose. Tout le monde épluche une orange.*

ALEX

Je suis retourné au bord de la mer. Ici, tout le monde adore regarder la mer. Je mangeais une orange. Dans la baie de Paléas Epidavros, la mer riait beaucoup. Je sais pas si je trouvais ça beau parce que Pénélope m'avait raconté cette histoire du rire de la mer ou parce que c'était réellement beau, objectivement je veux dire. Je me le demande encore... Là-bas, en Grèce avec une orange, devant la mer qui riait, j'étais bien. Et le pire, mais ça reste entre vous et moi, le pire c'est que j'entendais sa maudite chanson de Dean Martin jouer dans ma tête. Et ça me rendait heureux.

PÉNÉLOPE, ALEX ET LE CHŒUR

Des fois, on y arrive...

On entend Cha cha cha d'amour. *Le chœur, Pénélope et Alex mordent goulûment dans leur orange. L'odeur des oranges dans le théâtre.*

NOIR

CET OUVRAGE
COMPOSÉ EN GARAMOND CORPS 12 SUR 14
A ÉTÉ ACHEVÉ D'IMPRIMER
LE SEIZE NOVEMBRE DEUX MILLE UN
PAR LES TRAVAILLEURS ET TRAVAILLEUSES
DES PRESSES DE
L'IMPRIMERIE GAUVIN
À HULL
POUR LE COMPTE DE
LANCTÔT ÉDITEUR.

IMPRIMÉ AU QUÉBEC (CANADA).